Classici dell'Arte

86.

L'opera completa di
Gentile da Fabriano

L'opera completa di

Gentile
da Fabriano

Introdotta e coordinata da
EMMA MICHELETTI

Rizzoli Editore · Milano

La favola Gentile

La fiaba pittorica di Gentile da Fabriano si inserisce di diritto in quella assai più ampia del gotico internazionale europeo, costituendo una delle pagine fondamentali del filone italiano.

Dalle Fiandre alla Boemia all'Italia, usufruendo per lo più delle vie fluviali del Reno, del Danubio, dell'Isarco e dell'Adige, questa corrente artistica, prevalentemente pittorica, si diffonde ovunque con gli stessi caratteri di raffinatezza, eleganza, fantasia di colori e di costumi e, insieme, con una più acuta osservazione della realtà; un'attenzione epidermica, proprio a fior di pelle, rivolta soprattutto alle piccole cose: ai fiori, alle erbe, ai costumi, ai gioielli. Sono le 'cose' che contano ancora, non l'uomo con la sua natura più profonda e complessa, con i suoi problemi e le sue passioni: la stessa serena indifferenza è nei volti delle Vergini adoranti il Figlio, delle sante e dei santi martiri, senza particolari sofferenze e senza riflessi di cruento martirio. Il gotico-internazionale si svolge come una grande favola tutta esteriore, senza complicazioni intellettuali, filosofiche, di pensiero, come un gioco in uno specchio magico, che traduca in chiave ancora più sognante la vita cortese di un mondo cavalleresco fatto di cacce, di giochi, di fasti, qual era quello delle corti europee, affermatesi nei piccoli stati nati dall'effettivo disfacimento dell'Impero; o meglio, un lato di questa vita, il più fittizio probabilmente, ma certo il più affascinante, in una sorta di cronistoria illustrata dei fatti che avevano cominciato a definire la vita di quel mondo già un secolo prima. Ed è sempre cronistoria attuale, anche quando raffigura scene ed episodi sacri, a esso estranei, come la Natività, l'Adorazione del Bambino o i miracoli di qualche santo. All'apparenza si direbbe un'arte semplice, sbocciata spontaneamente su un ceppo precedente, tutta in punta di pennello, che lascia libera la fantasia, senza tormenti e problemi formali, di concetto e di tecnica; un'arte nata col nascere delle eleganze, dei capricci, dei giochi di quella società cortese che essa illustra con infinita, piacevolissima libertà. Invece anch'essa ha una sua studiatissima origine, presenta i suoi problemi, le sue intricate difficoltà di formazione e di affermazione; partendo dai più antichi e misurati antecedenti, essa subisce, nel tempo e attraverso vari e disparati contatti, trasformazioni sempre più notevoli; e si afferma infine nel gioco dei mutamenti sociali e politici, determinandosi in base a precise ragioni storiche.

Proprio perché legata fortemente a determinate esigenze e condizioni storico-sociali, si afferma più o meno saldamente e più o meno a lungo in certe regioni piuttosto che in altre, mantenendosi sempre entro i suoi limiti culturali ed espressivi. Per le stesse ragioni per così dire etniche, storiche e politiche, in ognuno dei paesi europei il ceppo comune in parte si trasforma e si vivifica con gli apporti di civiltà e di tradizioni artistiche anteriori che ne costituiscono il substrato originario.

Di difficile individuazione, se non misterioso, è il legame di quest'arte cortese con i severi canoni formali dell'epoca subito precedente. Indubbiamente però, essa si richiama talvolta alle grazie gentili della scultura gotica francese, ben più impegnativa e ricca di sottigliezze intellettuali, e ai preziosismi grafici della miniatura trecentesca che in seguito, attraverso le tappe di altaroli portatili e piccole ancone, giungerà a tradursi e a estendersi, sempre preziosamente nei grandi arazzi multicolori e in particolare, in Italia, negli affreschi visibili soprattutto nella regione lombarda.

La Lombardia si era arricchita di esperienze pittoriche transalpine non soltanto attraverso i maestri che convenivano da decenni nella attivissima fabbrica del Duomo milanese, ma anche per apporti certi, anche se non documentati, nell'ambiente della corte viscontea. Va ricordato a questo proposito che ancora nel Trecento era venuta dalla Francia Isabella, moglie di Gian Galeazzo, mentre dalla Lombardia Violante, figlia di Galeazzo II Visconti, andava sposa in Inghilterra, e nel 1389 Valentina, figliola di Gian Galeazzo, sposava Luigi di Turenna.

Del resto, per quanto riguarda l'Italia, si tratta quasi del ritorno di un filone familiare e casalingo, partito nella metà del Trecento da Siena, alla volta della Francia, con Simone Martini che, ad Avignone, aveva dato i suoi frutti più splendidi e moderni. Proprio ad Avignone, alla corte dei papi e all'abbazia di Villeneuve, operarono insieme pittori italiani e francesi; e proprio ad Avignone, per la prima volta, due diverse civiltà artistiche si erano integrate e donate a vicenda qualcosa: l'attenzione italiana al volume, alla forma, ai problemi spaziali, anche se appena impostati e ancora ben lontani da una soluzione, e il 'lusso' dei francesi, la loro linea morbida, ondulata, vibrante.

Mentre è logico e naturale che dall'ambiente veronese provenga un artista come Pisanello, è per lo meno singolare che Gentile, uno dei più importanti e significativi rappresentanti del gotico internazionale italiano, sia uscito non dai centri più fiorenti e affermati dell'Italia cisalpina, vale a dire Verona e la Lombardia, ma da una regione centrale e provinciale come le Marche, una terra sensibile da sempre al richiamo di Venezia, città che tuttavia il tenace persistere della tradizione bizantina rendeva ancora sorda a ogni apporto nuovo e in qualche modo diverso. Sarà infatti più tardi proprio Gentile, con la sua arte maturata altrove e per altre vie, ad agitare le ferme acque della pittura lagunare. Del resto quei pittori marchigiani come Francescuccio Ghissi e Allegretto Nuzi, che dovrebbero costituire gli antecedenti più naturali e diretti dell'arte del fabrianese e non lo sono affatto, dichiarano apertamente e senza possibilità di equivoci la loro ascendenza veneziana, tradotta con tratti più provinciali in un ripetersi quasi ossessivo di decorazioni splendenti sui fondi oro e nella monotonia ricorrente dei soggetti, per lo più Vergini in atto di allattare o trastullare il Bambino. Un secolo più tardi invece, l'arte marchigiana, particolarmente quella di un notevole centro culturale come la corte di Urbino, sarà una delle propaggini più feconde e determinanti del Rinascimento fiorentino, con Paolo Uccello, Piero della Francesca, Luciano Laurana e Sandro Botticelli; non a caso proprio a Urbino nascerà al mondo e all'arte Raffaello. Da questo ambiente provinciale, legato agli immobili splendori veneziani, esce Gentile da Fabriano destinato a ben altre espressioni artistiche e a fama tutt'altro che regionale.

Altrettanto singolare – ma potrebbe quasi rivelarsi conferma della più completa appartenenza di Gentile al mondo gotico-internazionale – è che nulla sia rimasto della sua attività giovanile, che si possa per qualche via legare alla produzione immediatamente a lui anteriore e all'ambiente regionale circostante. Anche certi splendori dorati di chiara marca veneziana appariranno più tardi, in opere che si possono in qualche modo ambientare e datare nel periodo della sua attività a Venezia o subito dopo, come le *Madonne* di Pisa (n. 20), di Perugia (n. 13) e della collezione Kress di Washington (n. 43). Né poi alcuna notizia documentaria, neppure la esatta data di nascita, ci conforta e ci aiuta nella ricostruzione storica della sua giovinezza che rimane un enigma. Così l'artista si palesa già formato e pienamente partecipe di quella corrente gotico-internazionale che tanto significativamente egli poi interpreterà.

L'unica opera eseguita in patria, subito prima del suo definitivo distacco da Fabriano, il polittico per i monaci di Valle Romita, ora a Brera (n. 2-11), come del resto la forse precedente *Madonna* di Berlino (n. 1), è anch'essa testimonianza di una già raggiunta formazione artistica, maturata attraverso esperienze del tutto diverse da quelle marchigiane quali la cultura senese e la grande miniatura lombarda.

Sono ancora voci troppo scoperte, non del tutto coordinate e assimilate, che tuttavia già caratterizzano l'arte di Gentile. L'apporto senese è facilmente spiegabile anche al di fuori di presunti e, del resto, assai probabili viaggi giovanili in quelle contrade, essendo l'arte senese mèta facilmente raggiungibile attraverso le aperte vie di Orvieto, dove orafi e miniatori andavano creando, fin dall'ultimo Trecento, un prezioso mondo di smalti, vetri, mosaici, in un fulgore di lacca su oro, di oro su oro che si ripresenterà nelle opere più splendide del pittore di Fabriano; questi, d'altra parte, proprio da Siena sembra apprendere quella sua maniera vivace ed elegante, quell'insieme di linee raffinate e di garbata attenzione ai particolari realistici, appena sfiorati da un soffio di fiaba. Il mondo gotico lombardo invece arriva a Gentile nelle sue più squisite accezioni, per vie misteriose ma bene intuibili: con ogni probabilità attraverso la miniatura, certamente assai diffusa ovunque in Italia si verificasse una pur timida apertura verso nuove culture. D'altronde, se la mancanza assoluta di documenti riguardanti il giovane Gentile è di ostacolo a una ricostruzione della sua storiografia giovanile, essa lascia libero campo alle più allettanti ipotesi di contatti e appuntamenti culturali, durante un probabile, anche se non provato viaggio giovanile in Lombardia, magari attraverso Verona, secondo la tradizione comune a questi artisti cosmopolitani che erano dei veri e propri inquieti giramondo.

E ancora, perché non immaginare che pittori come Michelino da Besozzo e Giovannino de' Grassi fossero conosciuti anche fuori di Lombardia, specie per quei loro 'taccuini' di disegni che dovevano segnare l'inizio del nuovo gusto? E la fama degli affreschi eseguiti nel 1400 da Franco de Veris e da suo figlio Filippolo in Santa Maria dei Ghirli a Campione, e la notorietà delle tante miniature eseguite nelle varie residenze viscontee, non potevano avere raggiunto anche le regioni più lontane ed eccitato la fantasia dei pittori della *nouvelle vague* che muovevano anche nell'Italia centrale alla conquista dei loro mondi fantastici? Del resto le dame di casa Borromeo che giocano a tarocchi e a mosca cieca negli affreschi anonimi e frammentari di Brera, sono le spensierate sorelle di qualche santa di Gentile e del suo giovane re della fiorentina *Adorazione dei Magi* (n. 26-29).

Il 'puntinismo' lombardo è subito evidente nell'arte del pittore, documentato fino dalle prime opere sue conosciute, anzi, si direbbe, in esse assai più esplicito che in quelle seguenti, quando certe luminosità morbide e dorate danno un impasto più fuso e insieme più brillante ai suoi colori e ai suoi incarnati madreperlacei. Così come in seguito non riappariranno più i grappoli di cherubini che occhieggiano, coloratissimi, fra i rami degli stenti alberelli, ai lati della *Madonna* di Berlino (n. 1), simili a esotici delicati frutti; né le acutezze grafiche e i particolarismi puntigliosi di netta matrice miniaturistica e lombarda, ben rilevabili nel polittico di Valle Romita (n. 2-11); evidenti ricordi di recentissime esperienze annotate dall'acuta sensibilità del pittore, che da sempre e per sempre riunisce in sé le due tendenze peculiari del gotico-internazionale: l'incantevole repertorio di moduli 'cortesi' che fanno di ogni raffigurazione una fiaba splendente e un amore nuovo, una trepida attenzione alla realtà delle cose, resta più attuale, come sfiorata, talvolta, dal tocco gentile di una semplicità dolcemente paesana. L'attenta osservazione della piccola tavola berlinese proveniente da San Niccolò di Fabriano e ancor più quella del polittico di Valle Romita, confermano la pur convinta asserzione che l'educazione artistica fondamentale di Gentile fu soprattutto lombarda; e questa adesione al gusto di Lombardia resterà sempre la componente principale e più evidente durante l'intera sua attività, anche negli anni fiorentini. Certi fermi splendori veneziani si noteranno invece solo più tardi, nelle opere che seguono il suo documentato soggiorno lagunare, evidente conseguenza di immediate e folgoranti impressioni.

Non si sa come e perché, nel 1408 o qualche anno prima, Gentile approdi a Venezia. Evidentemente egli vi arriva maturo di anni e di esperienza, anzi probabilmente ormai provvisto di ampia notorietà, giacché la Serenissima non avrebbe affidato a un artista semisconosciuto e per giunta forestiero, commissioni così importanti come la decorazione della Sala del Maggior Consiglio in Palazzo Ducale. Le opere eseguite a Venezia sono scomparse, ne è rimasto solo il ricordo nella descrizione ammiratissima del Facio, specie riguardo a "una marina in tempesta" che, con la grande battaglia navale del Salone consiliare e alcuni ritratti di casa Pasqualino, dovette impressionare gli artisti veneziani fermi da secoli ai tanto ripetuti moduli 'alla greca'. Gentile dunque, che fra qualche anno apparirà a Firenze un ritardatario anche se di gran classe, è a Venezia un innovatore. E quando, nel 1414, se ne allontana diretto a Brescia, i più giovani veneziani versati nell'arte lo seguono, come quell'Jacopo Veneziano che si ritrova con lui a Firenze, causa anche di incresciose situazioni e di strascichi giudiziari.

È quasi certo che nel periodo veneziano Gentile ebbe anche contatti e rapporti con altri artisti, facilmente continentali. Forse la conoscenza più importante e decisiva fu per lui quella di Niccolò di Pietro, reduce dalla Boemia, uno dei centri più attivi della pittura cortese. Alcuni documenti attestano d'altronde che proprio tra il 1408 e il 1409, Gentile e Niccolò di Pietro lavoravano contemporaneamente a Venezia. Si può addirittura pensare a talune identità di concetti e di espressioni, tanto da essere invogliati a fare il nome di Gentile per le tre 'storie' di San Benedetto agli Uffizi (n. 60-62), già attribuite alla scuola veronese, e l'altra ad esse collegata dalla critica e ritenuta appunto di Niccolò di Pietro, del museo Poldi-Pezzoli di Milano (n. 59), attribuzione peraltro difficilmente convalidabile in mancanza di prove e confronti con altre opere, purtroppo inesistenti, del periodo veneziano.

A Brescia, certo più che altrove, egli rientra nel mondo che era suo da sempre. Milano con la sua tradizione tardo-

gotica è vicina e con ogni probabilità Pandolfo Malatesta, signore di Brescia, emula nella vita della sua piccola corte provinciale gli splendori dei Visconti. Forse qui per la prima volta e a lungo, Gentile viene a contatto con i costumi e le regole mondane di quell'ambiente cortese che da sempre, in fondo, egli vagheggia nel cuore e nell'opera. E se già non gli era accaduto nel presunto primo viaggio in Lombardia, ora finalmente poteva venire in diretto contatto con tutto quel mondo colorato e preziosissimo che Giovanni Alcherio, il Jean Aucher dei francesi famoso mercante d'arte, raccoglieva e annotava come in un ricettario durante i frequenti viaggi da Parigi a Milano e a Bologna, facendosi tramite delle esperienze artistiche di Michelino da Besozzo, di Giovanni da Bologna, di Jacques Coëne e di quanti altri artisti egli incontrava sulla sua strada. Poi, nella vicina Pavia, anche senza arrivare a Milano, Gentile poteva meditare proprio sull'arte di Michelino, guardando e riguardando la sua ancona nella chiesa di Santa Mustiola, ora perduta; quello stesso Michelino di cui probabilmente aveva visto a Venezia i disegni di un 'taccuino' non più esistente, ma ancora nel Cinquecento citato dal Michiel in casa Vendramin.

Brescia è il luogo di un incontro per lui determinante, quello con Martino V che al suo ritorno da Avignone a Roma vi si era fermato ospite di Pandolfo. Purtroppo anche gli affreschi bresciani eseguiti da Gentile nella Cappella del Broletto sono andati perduti, ma dovevano essere bellissimi, certo tutti nel suo gusto luminoso e splendente, e molto ammirati anche negli anni seguenti, se mezzo secolo dopo l'umanista Sallustio Consandolo scriveva da Brescia a Borso d'Este per sollecitarlo a inviarvi Cosmè Tura perché vedesse "la cappella di Zentile". Martino V, certo ammirato proprio di questa opera, invitò Gentile a seguirlo a Roma. Egli sarà il papa di Pisanello, di Masolino e di Masaccio. Fu il papa di Gentile da Fabriano.

Lungo il viaggio verso Roma, avviene l'incontro del pittore di Fabriano con Firenze. Un incontro importante ma senza conseguenze per l'arte fiorentina, già incamminata su nuove strade, e certo non determinante per il pittore, che anzi ne fu in un primo tempo disorientato, tanto da desiderare e attuare un ritorno in patria che nelle sue intenzioni probabilmente doveva essere definitivo e invece fu solo una breve sosta. Ché egli era ormai un celebre pittore e la vita di provincia non era più per lui; soprattutto non era più per lui lo spirito provinciale e paesano dell'arte marchigiana, poiché urgeva ormai al suo intelletto il ricordo del mondo cortese conosciuto per lunghi anni, soprattutto in Lombardia, e la curiosità per le novità appena intraviste a Firenze che forte l'avevano un po' spaventato: non le affermazioni razionalmente prospettiche del Brunelleschi, non la passione del mondo classico tradotta in chiave drammatica da Donatello, ma l'edonismo ellenizzante, eppure nuovo, del Ghiberti, già intento da anni alla porta nord del battistero fiorentino; e quanto sentiva dire di un certo giovane Masaccio, presumibilmente già in contatto col suo maestro Masolino.

7

Non v'è dubbio che qualche tratto delle novità fiorentine non sfuggì a Gentile, già iscritto all'Arte dei Medici e Speziali, e logicamente ciò è rilevabile nelle opere eseguite a Firenze: beninteso non la forza nuova, prepotente ed eroica di Masaccio, ma la sensitività di Masolino, certe morbidezze del Ghiberti e, perché no?, dell'Angelico, di quegli artisti, insomma, che restano come sospesi fra due mondi ancora in contrasto. Ma saranno episodi isolati, incompleti, perché Gentile tornerà sempre, in seguito, alle consuete e più amate espressioni 'cortesi', sfuggendo ogni atteggiamento 'popolare', quasi per congenita e istintiva incapacità di superare certi limiti e certe consuetudini.

Si è accennato all'ipotesi che la commissione dello Strozzi a Gentile fosse stata dettata da un desiderio snobistico di meravigliare con straordinaria fastosità e con espressioni così inusitate a Firenze, un pubblico da sempre avvezzo a una maggiore e più sentita realtà e che proprio in quegli anni sentiva maturare una nuova, razionale concezione del mondo. È invece presumibile che Palla Strozzi, committente di Gentile, e Felice Brancacci, patrono di Masaccio al Carmine, fossero ambedue uomini di cultura e perciò aperti alle più diverse espressioni artistiche, purché veramente tali. Il periodo fiorentino segna indubbiamente il punto di arrivo e di più splendida espressione nell'arte di Gentile, almeno alla luce delle opere che di lui si conoscono.

Proprio a Firenze – dove l'ambiente artistico era il più chiuso alla corrente cosmopolitana, troppo esteriore per la razionale intelligenza fiorentina derivata da Giotto e troppo arcaica per le novità rinascimentali che ormai l'assediavano – Gentile eseguì il suo capolavoro, tutto nello spirito, nel gusto, nella concezione dell'arte gotico-internazionale: è la grande *Adorazione dei Magi* degli Uffizi (n. 26-29), dove il pittore si dimostra, anche se solo a tratti nelle parti minori, e pur sempre a fior di pelle, sfiorato dalle novità fiorentine rinnovandovi per contro il ricordo della grande pagina miniata nel *Libro d'ore* di Chantilly dai fratelli de Limbourg, e allo stesso tempo richiamando al pennello preziose reminiscenze della precedente *Adorazione* del senese Bartolo di Fredi.

Più di ogni altra testimonianza storica, questa grande pala sta a dimostrare il cambiamento di costumi della società fiorentina. Committente dell'opera era stato infatti Palla Strozzi, forse il più ricco mercante della città, suocero di quel Felice Brancacci che negli stessi anni aveva affidato a Masolino prima e a Masaccio poi, l'esecuzione degli affreschi della sua cappella gentilizia al Carmine. Anche la ricca borghesia fiorentina, per lo più di origine mercantile e rurale, ha ormai da tempo iniziato la scalata a quel mondo e a quel costume ricco di raffinatezze e di esotismi che la più rude generazione precedente aveva disdegnato e forse addirittura ignorato. Lo dimostrano i costumi dei personaggi che animano la grande favola, ispirati evidentemente al pittore dal ricordo nostalgico del suo mondo nordico, ma anche dall'ultimo grido della moda che a Firenze, come altrove, nella *élite* della gioventù dorata era alla francese, e la più ricca e fastosa possibile, per questi figli di facoltosi 'stoffaioli' i cui broccati, sete e damaschi erano i più celebri e ricercati sul mercato europeo. In fondo, lo stesso Gentile non era forse figlio di un mercante di stoffe? Il giovane re biondo in primo piano che fa pompa di sé e del suo stupendo abito di broccatello dorato, raffinato e delicatissimo manichino all'ultima moda, potrebbe essere uno zerbinotto del rione di Santa Trinita, della stessa pasta dei due sfaccendati di Masolino che nella *Resurrezione di Tabita* passeggiano a perditempo nella masaccesca piazza del Carmine. I moduli calligrafici e miniaturistici delle opere giovanili sono ormai lontani, e anche se la prospettiva è illusoria, la scena si amplia e la natura, pur sempre contro l'irrealtà di un cielo dorato, si fa più vera. Al di fuori delle concezioni e delle forme del pensiero e dell'arte, Gentile sente forse diminuire quel contrasto che aveva avvertito vivissimo, arrivando, fra il lusso favoloso delle corti del Nord, ricco di preziosi particolari facilmente traducibili nell'opera d'arte, e il severo senso della misura legato alle idee razionali dei 'novatori' fiorentini, che nascono nella città che aveva determinato e visto la rivolta dei Ciompi e che fin dai tempi più antichi basava le proprie istituzioni su un libero regime di netto carattere borghese.

Del resto ormai, proprio in quegli anni, nel primo ventennio del Quattrocento, la vita di Firenze si andava convertendo a un ideale aristocratico e cortese. La ricca borghesia di mercanti e banchieri andava rafforzandosi nella supremazia di poche grandi famiglie, i Rucellai, gli Strozzi, i Medici, che soprattutto nella moda e negli usi quotidiani si modellavano sugli esempi delle corti d'Oltralpe e nel predominio politico e mondano della città si ispiravano alle dinastie principesche e guerriere di oltre Appennino: i Visconti, gli Scaligeri, gli Estensi.

Così nell'*Adorazione*, cavalieri, servi, cavalli e cani si snodano in un interminabile corteo che sembra ininterrotto, ma si svolge in tempi diversi, da fondi lontani in un vero microcosmo di piccole realtà quotidiane colte dal pennello attento di Gentile, che trasforma in fiaba, come attraverso uno specchio magico, la verità più semplice, fino al gruppo della Vergine col Bambino in primo piano; dalla marina in bonaccia, dove si cullano le navi vuote del loro carico splendente, fino al turbinio di colori, nel fitto movimento dei costumi esotici e selvaggi, con scorci arditi di volti barbuti, fino all'omaggio dei tre re al re del mondo. Le corone, le else delle spade, gli speroni sono a bulino e in rilievo perché tutto appaia più ricco e più fastoso in questa cornice profana intorno al gruppo sacro, quasi relegato in un angolo, sebbene in primo piano. Anche la realtà spicciola delle piccole cose si nobilita e si trasforma in qualcosa di estremamente prezioso: il vasetto dei profumi, il muro della capanna rosso di mattoni, la lucertola palpitante.

Una pallida luce, appena dorata, a metà tra naturalismo e artificio, scorre sui colori, facendoli cantare sull'oro che brilla e sulle morbide carni madreperlacee. La 'trovata' più eccentrica e incantevole è la serra che incornicia la grande pala, fatta di erbe e fiori di ogni qualità, che spuntano dai trafori, e richiamano le delicatezze cromatiche e di tratto dei tenui ramicelli posti a ornamento delle pagine miniate del tardo Trecento lombardo e di quelli, raffinatissimi, che illustrano nella stessa epoca i primi, elementari trattati di botanica. Sono mammole e ginestre, gelsomini, gigli e genziane, fiori di pisello, calendole, papaveri e margherite, raffigurati con un'attenzione naturalistica così precisa e veristica da fare di Gentile il primo poetico pittore di nature morte. Così le ombre e le luci che a tratti creano nella sua pittura attimi di realtà luminosa, ne fanno talvolta non certo un Caravaggio *ante litteram*, ma un timido, forse inconsapevole precursore di certe realtà luministiche alla lombarda che poi, indubbiamente con altra maturità e coscienza, attraverso il Foppa e il Boccaccino, arriveranno fino al Savoldo. Ma l'angelo annunziante, delicato come una farfalla, puro disegno colorato, sembra riprendere Gentile per mano e ricondurlo nel suo mondo, quello della più poetica fantasia cara alle estreme squisitezze dei miniatori di Lombardia e d'Oltralpe.

L'*Adorazione* rimase un *unicum* nel mondo artistico fiorentino. Non solo Masaccio non ne fu neppure lontanamente sfiorato — e certamente la vide —, ma nessuno degli 'sbalorditi' sembrò o volle sembrare di esserne impressionato. Troppo diversa era l'aria che si respirava in città o forse nessuno degli artisti attivi a Firenze capiva più il linguaggio di Gentile ancorato a un impressionismo calligrafico ed elaborato che l'*intellighentia* fiorentina considerava ormai superato.

Prolungando il suo soggiorno nella città, Gentile sembra poi volgersi più apertamente alle novità che erano nell'aria, e intenderle, anche se superficialmente, quasi per un'acquisita consuetudine. Questo suo nuovo atteggiamento appare più evidente nel polittico Quaratesi, del 1425 (n. 31-40). Anche ora certo il pittore non guarda tanto a Masaccio e alla sua arte eroicamente umana, quanto a quella più delicata corrente stilnovista che annovera Masolino, il Ghiberti e forse il primo Angelico.

La *Madonna in trono* (n. 33), oggi nelle collezioni reali inglesi, ha una semplicità di forme e una fermezza disegnativa tutte fiorentine, che la imparentano a quella dell'affresco nel Duomo di Orvieto, di poco posteriore, per certe immediatezze di espressione e per certe luminosità realistiche presenti anche nella *Maddalena* Quaratesi agli Uffizi e negli angeli doratissimi che fiancheggiano la Vergine, memori indubbiamente di esperienze masolinesche. Di un'umanità più borghese, ovverossia fiorentina, partecipano anche *San Nicola*, *San Giorgio* e il *Battista* (anch'essi agli Uffizi), anche se amplissima e ricca si mantiene la parte decorativa, dai fondi d'oro e dai pavimenti fioriti di tappeti orientali dove ancora il pittore si attarda in una timida prospettiva un po' sdrucciolata, fino ai broccati delle vesti e dei

manti. Il *San Giorgio*, troppo immobile nella sua posa di parata, ignora evidentemente il suo grande e ben diverso fratello, scolpito da Donatello già nel 1416, terribilmente vivo nel suo "meraviglioso gesto di muoversi dentro quel sasso" (Vasari). Un più profondo e immediato senso della realtà anima invece le cinque 'storie' di Cristo che Gentile finge condotte con sottile ricamo sul manto del Santo Vescovo Nicola. Egli si esprime con schietto abbandono, in un linguaggio semplice e vivo, raffigurandovi una sentita e attuale realtà di moti, di atti e di sentimenti, e valendosi, con grande maestria, del gioco felice delle grandi pieghe orizzontali del manto che permettono una certa voluta sintesi compositiva, nell'eco evidente di alcuni risultati conseguiti dalla contemporanea cultura fiorentina operante attorno a lui e stupendamente viva.

Ma sempre e per sempre Gentile finisce col rientrare nei limiti della sua arte e col restarvi chiuso, quasi pentendosi di ogni pur timida apertura verso modi più moderni, e riprendendo il suo sogno interrotto, magari addirittura scavando più a fondo in esso e in se stesso. Forse è per questo che nessuna delle sue opere, neppure delle prime, si ricollega come questa in alcune parti, e più precisamente nelle 'storie' della predella, al poetico mondo di fiaba del Malouel o dei fratelli Limbourg, rivelando nello stesso tempo particolari ed espressioni di un intimismo borghese mai più sperimentato, in seguito, dall'arte italiana. Esse sono quasi un riassunto, certo del tutto involontario, delle precedenti esperienze pittoriche e culturali di Gentile, tutte interpretate con metro poetico di grande efficacia e di felicissima fantasia: dal fare narrativo dei marchigiani fratelli Sanseverino a certi richiami alla miniatura lombarda, interpretati però con linguaggio personalissimo nelle prime tre 'storie' di San Nicola; dal gusto più semplicemente illustrativo alla pura fantasia del "miracolo del mare", dove pochissimi tratti di colore creano l'atmosfera di cieli tempestosi e di flutti pieni di recondite insidie, richiamando il ricordo e il rimpianto di opere perdute come la *Battaglia navale* e la *Tempesta di mare*, ambedue del tempo veneziano; infine certe realtà immediate, da *ex voto* o da poetica scena di genere, dove tutto si svolge pianamente, quasi sottovoce, ma con una vivacità di osservazione eccezionalmente significativa.

Queste realtà sono presenti soprattutto nello scomparto raffigurante i pellegrini e i devoti all'arca del santo, timidi e titubanti sotto lo sguardo sornione del sagrestano. Nel fondo, nella semioscurità del catino absidale, brilla, appena sbiadito, un mosaico col Cristo fra la Vergine e san Nicola; subito sotto si intravedono alcuni affreschi che riprendono gli episodi stessi della predella, tra cui questo dei pellegrini, in una sorta di *trompe l'oeil*, questa volta davvero in anticipo su quello ben noto di Van Eyck, raffigurante i coniugi Arnolfini riflessi nello specchio concavo della loro camera da letto.

Al periodo fiorentino va forse riferita anche la bella *Madonna* di New Haven (n. 46), probabilmente di poco anteriore al polittico Quaratesi; dove già evidente è un ampliarsi della forma di netta derivazione fiorentina, mentre le rose rampicanti hanno le stesse finezze dei fiori che incorniciano l'*Adorazione dei Magi* e, insieme, sembrano presentire le siepi fiorite che il Pisanello porrà spesso a sfondo dei suoi celebri ritratti. Anche l'*Incoronazione* di Parigi (n. 22) è localizzabile con ogni verosimiglianza nel periodo fiorentino, evidentemente il più fecondo di Gentile e quello che trova una testimonianza quasi completa nelle opere superstiti. Lo splendore ornamentale e decorativo, il colore ricco di luce giustificano un nuovo, proficuo contatto del pittore con l'arte senese e nello stesso tempo una rinnovata eco dei modi masolineschi in certe morbidezze degli incarnati. Infine, di questo momento è la bellissima *Madonna in trono tra i santi Giuliano e Lorenzo*, ora nella Frick Collection di New York (n. 41), ove, come già nel polittico Quaratesi o subito prima, Gentile riassume tutta la sua vita di artista, quasi in un ripensamento del passato, raggiungendo, pur senza oltrepassare i confini dell'arte 'cortese', un lirismo discreto e una gravità che sono eccezionali in questa poetica da racconti di fate, generalmente concepita solo per i sogni di una società privilegiata. Elementi che probabilmente riecheggiavano, magari in tono minore, nel pentittico già in San Niccolò sopr'Arno e ora nei depositi delle Gallerie fiorentine (n. 53-57), purtroppo in condizioni tanto precarie da renderne problematica la lettura.

Con le opere eseguite a Firenze si chiude l'attività conosciuta di Gentile. Nulla, infatti, è rimasto degli affreschi condotti in San Giovanni in Laterano per conto di Martino V a partire dal 1426 e interrotti dalla morte improvvisa dell'artista, pitture "vaghissime e belle al possibile", secondo il Vasari che certamente le vide. Si può tuttavia supporre che la tecnica e l'arte del pittore corressero ormai su un binario definitivo, ché se poco il fabrianese aveva appreso dal contatto col mondo fiorentino, Roma niente poteva aggiungere al suo fardello culturale. D'altra parte, se difficilmente possiamo immaginarlo intento ad ammirare le vestigia del mondo classico, certo fu molto più attratto, nel riaffacciarsi del ricordo della mai dimenticata Venezia, dallo splendore dei fulgenti mosaici paleocristiani che arricchivano e illuminavano dei loro bagliori dorati l'interno delle basiliche romane. Il fasto della corte pontificia, poi, doveva rinnovare in lui, se mai ve ne fosse stato bisogno, il gusto e la fantasia dei colori, delle stoffe, delle preziosità che costituivano il tesoro del suo pennello. A meno che il ricordo delle esperienze fiorentine non maturasse in lui col tempo, avviandolo a certe realtà, o piuttosto a certe solennità compositive, quali ci suggerisce un disegno del Borromini eseguito prima del rifacimento della basilica in età barocca (foto 50[1]).

È singolare l'accanirsi del destino sull'opera muraria di Gentile, da quella di Venezia a quella, anch'essa certamente fondamentale, di Roma, la cui sopravvivenza avrebbe senza dubbio consentito alla critica un più esauriente e ben definito profilo del pittore, forse sciogliendolo da quei limiti di tardogotico che tuttavia lo rendono affascinante, e comunque permettendo di seguirne tutto lo sviluppo, almeno fino dai tempi della sua attività veneziana.

Poche, in fondo, sono le opere sicure di Gentile e tutte eseguite in un breve giro di anni, all'incirca dal 1419 al 1427; poche, anzi pochissime, le opere a lui attribuite dalla critica moderna, e difficilmente se ne potranno aggiungere in futuro, perché sempre più diminuisce la speranza di recuperare qualcosa dei suoi cicli di affreschi.

Solo qualche *Madonna con il Bambino*, tema che tanto di frequente ricorre nella produzione artistica tardo-gotica e gotico-cosmopolitana, ci illumina un poco sul procedere della sua arte negli anni di Venezia e di Brescia; tali la *Madonna* di Perugia (n. 13), quella delicatissima di Pisa (n. 20), dove alla tematica fastosa dell'arte cortese si accomuna una evidente 'esibizione' culturale nella scritta araba che adorna fastosamente l'orlo del manto, e soprattutto la bella *Madonna* Goldman della National Gallery di Washington (n. 43), quasi ondeggiante sulla superficie dorata del fondo, e addirittura fulgente con il suo velo trapunto d'oro, un oro appena più scuro dei capelli biondi e appena più luminoso dell'aureola e del fondo. Del resto, da quanto di lui ci è rimasto, Gentile appare pittore coerente ed eguale a sé stesso, fedele al proprio gusto, alla propria educazione, certo ai suoi convincimenti.

Mai, anche nei momenti di maggiore impegno intellettuale, cioè negli anni fiorentini, egli riuscì a superare i propri limiti, limiti che peraltro, senza alcune vibranti impennate, di eccezionale livello artistico ed espressivo, lo avrebbero inesorabilmente fatto sentire 'trecentesco' e perciò in ritardo di quasi un secolo ai fiorentini 'nuovi' degli anni trenta. Per uno strano gioco del destino egli eseguì alcune delle sue opere più importanti e significative proprio a Firenze, lavorando spalla a spalla con alcuni dei 'novatori'. È probabile, per non dire certo, che queste pale piene d'oro e di colori fulgenti, per quanto ormai quasi fuori del tempo fiorentino, già rinascimentale, siano state ammirate dallo stupito pubblico della città, avvezzo a ben altre verità; ma non v'è dubbio, d'altronde, che il suo narrare sognante, dove tutto sembra visto attraverso trasparenze sottili, come di vetro colorato e soffiato, lo rendesse un isolato a Firenze, assai più irreale dell'irreale Masolino.

D'altronde la posizione di Gentile nell'àmbito della pittura del Quattrocento è del tutto particolare. Fino alle ultime opere egli riesce infatti, forse grazie alla sua intuibile ed evidente serenità morale, a mantenersi sempre a un livello artistico notevolissimo, senza mai scadere di tono, senza abbandonarsi a manierismi o a preziosismi eccessivi. Egli è riuscito inoltre ad assimilare, armonizzandole e facendole proprie, esperienze artistiche diverse, precedenti e contemporanee, dalle quali si sentiva istintivamente attratto e legato, soprattutto gli elementi fondamentali di quella cultura lombarda che continuamente traspare nella sua opera, come un *leit-motiv* ricorrente, come un sottofondo musicale armoniosamente discreto. Per questo Gentile partecipa con pieno diritto alla corrente gotico-cosmopolitana nel suo significato europeo e internazionale. Soltanto l'ormai del tutto improbabile ventura di rintracciare nuove opere di Gentile, in particolare qualche brano degli affreschi veneziani o bresciani, ci darebbe la possibilità di rendere positiva un'allettante proposta, non più recentissima, che nell'arte di Gentile vede non una derivazione di quella dei fratelli Limbourg, ma piuttosto un suo svolgimento contemporaneo e parallelo. Così, finalmente, proprio ad opera del fabrianese, verrebbe a spirare un accento italiano più che borgognone o francese nella pittura cortese italiana, che immediatamente precede la grande arte del Pisanello.

D'altra parte, Gentile in qualche misura partecipa alle nuove aspirazioni quattrocentesche e potrebbe anch'egli essere considerato un tramite tra la più alta e celebre tradizione gotica e quel vivo fermento di nuove idee umanistiche che sfocerà, poi, nel grande movimento rinascimentale. Certo egli non è un *homo novus*, ma neppure, banalmente, un semplice artista di transizione. Il suo sereno equilibrio lo porta talvolta ad anticipare forme e aspetti di un'arte futura. La sua intuizione, forse involontaria, ma penetrante dell'esigenza di una nuova espressione figurativa, resta una valida e importantissima lezione per Jacopo Bellini e per la successiva generazione dei pittori veneziani.

Per costoro alcuni concetti artistici di Gentile saranno una realtà e una conquista determinanti e anche per questo il fabrianese va considerato un maestro e non un seguace sorpassato o soltanto un grande assimilatore di tendenze diverse. Forse proprio lui gettò quel seme che sarà poi raccolto e maturato a Firenze, nel ripetersi di uno strano destino, da Domenico Veneziano, venuto dalla laguna pieno di colori e di luci, e destinato ad essere uno degli assertori del primo Rinascimento.

I documenti, le descrizioni elogiative delle sue opere, le commissioni importanti che punteggiano e puntualizzano la sua attività, l'epitaffio funebre, ritrovato in un antico codice e che è una vera e propria celebrazione, testimoniano la fama che accompagnò in vita il pittore e il ricordo che di lui lungamente rimase anche ai posteri. Lo stesso Michelangelo, così all'antitesi nell'arte, nello spirito e nelle relazioni con il mondo della cultura e del mecenatismo, tanto al di sopra nell'impegno intellettuale a distanza di oltre un secolo si soffermò sull'arte di Gentile. E forse proprio la meditazione sugli affreschi di San Giovanni in Laterano suggerì al grande fiorentino il giudizio riferito dal Vasari, ancora oggi il più valido, epigrafico commento sulla personalità e sull'arte di Gentile "che nel dipingere aveva avuto la mano simile al nome".

Gentile da Fabriano *Itinerario di un'avventura critica*

Gentile da Fabriano, eccellente pittore, dipinse l'immagine della Vergine e degli altri Santi per il pubblico Foro presso i Notai non in quest'anno [1425], come si dice, ma la portò a compimento nel seguente.

Nella parte inferiore, sotto l'immagine della Vergine, è un cerchio nel quale a destra e a sinistra di Gesù Cristo, giacente morto nel sepolcro, rappresentazione che i Cristiani dicono Pietà, sono dipinti due Angeli con un colore così trasparente e tenue e con una linea di contorno così delicata in giallo di Siena, che se qualcuno non osservasse con acutissimo sguardo anche le cose apertamente rappresentate, non potrebbe afferrarli.

TIZIO, *Storie sanesi*, sec. XV

Gentile da Fabriano fu di ingegno abile e portato ad ogni genere di pittura. Ma la sua arte e la sua operosità maggiormente sono note per le sue pitture murali.

Di Gentile è a Firenze, nella chiesa di Santa Trinita quella famosa tavola nella quale si vedono Maria Vergine, Cristo bambino nelle sue mani e i Tre Magi adoranti Cristo e in atto di offrirgli doni. Sua opera è nel pubblico Foro di Siena la stessa Maria Vergine ugualmente sorreggente nel grembo Cristo fanciullo, in atto di coprirlo con un tenue velo: Giovanni Battista e gli Apostoli Pietro e Paolo, e Cristoforo sorreggente Cristo sulle spalle, dipinti con arte così mirabile che sembra siano rappresentati anche i movimenti dei corpi e i gesti delle figure. Nel Duomo di Orvieto sua opera è la stessa Vergine e Cristo fanciullo sorridente nelle sue braccia, alla quale pittura non sembra si possa aggiungere nulla. Dipinse anche a Brescia una cappella per Pandolfo Malatesta, dal quale fu ampiamente ricompensato. Dipinse anche in Venezia nel palazzo [Ducale] la Battaglia campale contro il figlio dell'imperatore Federico iniziata e condotta dai Veneziani a favore del sommo Pontefice e che tuttavia per un difetto dell'intonaco cadde quasi del tutto. Dipinse ugualmente nella stessa città una tempesta sradicante fin dalle radici gli alberi e ogni altra cosa del genere, della quale tale è la rappresentazione che a chi guarda incute terrore e paura. Sua opera è ancora in Roma nella Chiesa di San Giovanni in Laterano la storia dello stesso Giovanni, e sopra questa storia cinque profeti così rappresentati che non sembrano dipinti, ma scolpiti nel marmo: nella quale opera, quasi presagisse la morte, è ritenuto aver superato se stesso. Lasciò nella stessa opera alcune cose solo abbozzate e non portate a termine, essendo stato raggiunto dalla morte. Sua è anche l'altra tavola nella quale Martino e i dieci Cardinali sono così raffigurati che sembrano uguagliare la natura e da essa per nulla dissimili.

B. FACIO, *De viris illustribus*, 1455-56 c.

Lavorò in San Giovanni di Siena: ed in Fiorenza, nella sagrestia di Santa Trinita, face in una tavola la storia de' Magi; nella quale ritrasse se stesso di naturale. Ed in San Niccolò alla porta a San Miniato, per la famiglia de' Quaratesi fece la tavola dell'altar maggiore; che, di quante cose ho veduto di mano di costui, a me senza dubbio pare la migliore; perché oltre alla Nostra Donna e molti Santi che le sono intorno, tutti ben fatti, la predella di detta tavola, piena di storie della vita di San Niccolò, di figure piccole, non può esser più bella né meglio fatta di quello che ell'è. Dipinse in Roma, in Santa Maria Nuova, sopra la sepoltura del cardinale Adimari, fiorentino ed arcivescovo di Pisa; la quale è allato a quella di papa Gregorio IX; in un archetto la Nostra Donna col Figliuolo in collo, in mezzo a San Benedetto e San Giuseppo: la quale opera era tenuta tanto in pregio dal divino Michelagnolo; il quale, parlando di Gentile usava dire che nel dipingere aveva avuto la mano simile al nome. In Perugia fece il medesimo una tavola in San Domenico, molto bella; ed in Sant'Agostino di Bari, un Crucifisso dintornato nel legno con tre mezze figure bellissime, che sono sopra la porta del coro.

G. VASARI, *Vite*, 1568[2]

La [scuola] fabrianese, che nel Piceno par molto antica, diede allora Gentile, uno dei primi pittori della sua età; quello di cui dicea il Buonarroti, che aveva avuto uno stile conforme al nome. Costui si comincia a conoscere fra i dipintori del Duomo di Orvieto nel 1417; e allora o poco appresso i libri dell'Opera gli danno il nome di Magister Magistrum, registrando la Madonna che vi dipinse e vi resta ancora [...].

L. LANZI, *Storia pittorica dell'Italia*, 1789 (ed. 1809)

A Gentile dunque si deve la gloria di essere stato uno dei primi riformatori dell'Arte. Ed anzi [...] Gentile fu il primo che seppe togliere dai quadri quella grettezza che era propria dei seguaci di Giotto: e così conducendo l'arte fuori dell'infanzia, facendo prendere al disegno un carattere più grandioso, non trascurando l'anatomia, ed il rilievo nelle figure, aprì in tal guisa per il primo la via in questo secolo ad un colorire più libero, e più conforme al vero.

Per esso le carnagioni acquistarono una vivezza e una trasparenza sanguigna, che resse sempre al confronto di tanti altri Maestri Quattrocentisti che lo seguirono. Ebbe accortezza nella scelta delle tinte locali, colla possibile imitazione della natura: e così per lui si fece a tutti noto, che essa natura insegna a non marcare duramente con linee taglienti i contorni degli oggetti, ma a dileguarli con ben intesi riflessi e passaggi nelle tinte vicine in ragione dell'ambiente, che gli involve e colora.

A. RICCI, *Elogio del pittore Gentile da Fabriano*, 1829

Gentile ebbe tutte le maggiori qualità degli artisti eugubini, e condusse la loro Scuola a quella maggior perfezione di cui essa era capace. I suoi capolavori sono notevoli per una appassionata soavità, per una espressione graziosa, per una particolare perfezione delle tinte ed una profusione d'ornamenti, che aveva imparato dalla scuola Umbra e senese [...].

È questo il miglior lavoro di Gentile tuttora conservato, che ci attesti quanto utili gli fossero gli ammaestramenti ricevuti durante la sua dimora in Firenze, sebbene [...] non potesse modificare la sua maniera umbra, né di tanto dimenticare la sua prima educazione artistica [...]. Qualche influenza può avere subita dallo studio sulle opere di un miniatore qual fu Lorenzo Monaco, e su quella dell'Angelico; ma se l'arte sua fu minore a quella di Lorenzo, doveva essere molto più inferiore all'altra dell'Angelico [...]. Vi si scorgono le qualità di Simone Martini, ma d'esecuzione tecnica più perfetta [...]. La pittura ha la finitezza, il poco rilievo, e gli ornamenti copiosi di una miniatura.

G. B. Cavalcaselle [- J. A. Crowe], Storia della pittura in Italia, 1873-1908

Gentile da Fabriano precorse l'Angelico nell'umile dolcezza delle Madonne che si vedono tra le siepi di mirti, di rose e di melograni, e sui prati fioriti. Soavemente chinano il capo sotto il manto azzurrino, che lascia scoperti i capelli terminati ad angolo acuto al sommo della fronte, e guardano con gli occhi a mandorla socchiusi sotto le grandi sopracciglia. Il loro volto è ovale, allungato, col mento tondo e il collo tornito; le mani, con le lunghe dita, e disgiunte non sono snodate, ma il loro atteggiarsi, anche per il ripiegarsi del mignolo, non è senza delicatissima grazia. Le pieghe dei manti sembrano serpeggiare negli orli a mo' di strisce gotiche e ricadere co' lembi a punta. A mano a mano il Divin Bambino sulle braccia della Vergine acquista la vivacità propria: a Perugia siede tranquillo, a New Haven sembra sguisciare dalle braccia materne, a Orvieto ride come un faunetto antico, con gli occhi stretti e i dentini bianchi e le guance rigonfie.

A. Venturi, Le vite... scritte da G. Vasari: Gentile da Fabriano e il Pisanello, 1899

Rapporti assai più stretti passano fra la pala di Gentile [degli Uffizi] e la <i>Adorazione dei Magi</i> che i fratelli De Limburg dipinsero nelle Grandi Ore del Duca di Berry non più tardi del 1415. Anche qui la folla dei dignitari orientali, con le orifiamme spiegate al vento, muove da città e da castelli lontani, accompagnata da una turba di scudieri e di mori; i ghepardi partecipano all'ampia scena e, particolare assai importante per lo svolgimento iconografico del soggetto, il Bambino carezza la testa del Re genuflesso, col gesto che il pittore fabrianese ripete. Sono somiglianze queste come è difficile spiegare come il risultato di un identico stato di evoluzione della cultura e dell'arte, ma, se Gentile ebbe occasione di vedere qualche miniatura ispirata dal mirabile codice di Chantilly, egli lavorò amorosamente attorno a quel primo nucleo, trasse nuovi episodi dalla vita, ed espresse la propria idea con la maggiore semplicità di mezzi, in tutta la sua grandezza.

A. Colasanti, Gentile da Fabriano, 1909

Ma presto egli morì, e a noi appare antico, ancora come trecentesco pittore cortigiano, in tutte quelle forme lussureggianti, agghindate, splendenti. In generale le sue figure sono dipinte quali cose rare e preziose, pulite e levigate, lustre, con fornimenti d'oro e di gemme, con drappi regali. I suoi costumi sono inesistenti, fantastici in gran parte, come quelli dei personaggi d'un racconto di fate. Egli non sa muoverli, incerto delle leggi della prospettiva e degli scorci; non riesce a costruire loro l'ambiente, ad allontanarne il paese che sembra un vaghissimo trastullo fanciullesco con i castellini, i cavalieri sui cavallucci in fila, le scimmiette e gli uccelli. Il pittore continuava la tradizione trecentesca, volle avvicinarsi all'arte che a gran sforzo rispecchiava la vita sociale, ma di questa riflesse soltanto, come per giuoco, ori, broccati, gioielli con ogni finezza di orafo, con ogni vaghezza di miniatore, con ogni carezza della mano piena di cortesia.

A. Venturi, Storia dell'arte italiana, VII, 1911

Tanto Gentile quanto Lorenzo [Salimbeni] si adattarono alla moda delle linee tortuose del gotico internazionale, imitarono i costumi di origine francese, ma dell'internazionalismo furono tocchi in elementi esteriori all'arte loro, che svilupparono dal punto in cui era giunto Allegretto [Nuzi] secondo la diversa capacità e il differente temperamento.

L. Venturi, Attraverso le Marche, in "L'arte", 1915

Gentile, infatti, ama abbandonarsi alla propria visione fantastica, lasciarsi prendere da essa, per un prezioso dono di spontaneità che fa somigliare le sue opere a fiori sbocciati così, per una forza ignota e miracolosa, nella rorida freschezza di un mattino.

Facilmente egli rinuncia al dubbio che importerebbe inquietudine e turbamento, volentieri si sottrae alla ricerca di nuovo, che significherebbe ansietà e contrasto; non è, e non potrà essere, per questo, un innovatore.

Prendendo se stesso a misura dell'umanità, di questa ignora i sentimenti più laceranti, gli oscuri tormenti, le sconvolgenti passioni: sembra ne ignori finanche la virtù del pianto; spirito timidamente affettuoso, conosce e sa intendere ed esprime la malinconia, la trepidazione, l'affanno anche; non il dolore. Tra le sue opere cercheremmo inutilmente qualche riflesso di questo eterno sentimento umano: anche in quelle che potremmo chiamare le sue predilezioni iconografiche egli mostra d'ignorarlo: e infatti non piega mai la sua arte a raffigurare scene di morte, di patimento, di dolore, che pure erano tra i temi obbligati e più consueti che l'arte attingeva alla religione.

B. Molajoli, Gentile da Fabriano, 1927

Di certo Dio Padre non ebbe mai a guardiano, un più innocuo fannullone di torneo che codesto San Michele arcipennuto, allo stesso modo che il paradiso cristiano non ebbe mai ospiti più "incroyables" che i Santi del polittico Quaratesi. Tutta gente che non si sa come entrasse in cielo; non certo per una cruna d'ago e, insomma, della stessa casta di quei Magi miliardari – Nino, Sardanapalo, Dagoberto – della Pala di Santa Trinita.

Né dubitiamo che anche il San Michele non appartenga a quello stesso momento fiorentino, dei modi del pittore; momento di fasto smisurato in cui ad una con Masolino, Gentile, dilatando teneramente la forma, così dilata i motivi della decorazione astratta; il tempo della pala Quaratesi e dell'<i>Incoronazione della Vergine</i> del Fabrianese, come dell'<i>Annunciazione</i> di Masolino nella raccolta Goldman; dove i motivi più lenticolari s'ingigantiscono a coprir tutta l'opera come un solo frammento di enorme bordura immaginaria; ciò che avveniva a Firenze intorno al venticinquesimo anno del Quattrocento.

R. Longhi, Me pinxit. Un San Michele
Arcangelo di Gentile da Fabriano, in "Pinacoteca", 1928

Ma Gentile ha creato qualcosa che è accetto a tutte le anime umane, che le tocca veramente nell'intimo, ne trova la via immediata e sicura, cioè un tipo di bellezza delicata e soavissima, che ci affascina, anche perché nulla in esso rinnega l'umano e tuttavia reca il segno di un mondo sconosciuto e fantastico, al quale aspiriamo dalle più secrete profondità del nostro sogno.

E anche la colorazione smaltata, l'inebriante ornamento, il poetico paesaggio partecipano di questo superiore mondo incantato. Mentre i partiti ritmici su ondulate cadenze, rotte a quando a quando da qualche notazione ferma sembrano formare quasi l'atmosfera musicale in cui le cose, come le ha trasfigurate l'artista, svolgono naturalmente la loro magica vita.

L. Serra, L'arte nelle Marche, II, 1934

Eppure è facile intendere di che peso sarebbe accertar 'come' Gentile dipingesse in effetti sui primi del Quattrocento in Lombardia, a Venezia o chissà dove. Giurerei che le onde della tempesta dipinta in Palazzo Ducale tra l'8 e il '14 e tanto vantate dal Facio, grande ammirator di fiamminghi, eran già della famiglia stupefacente di quelle che si svolgono intorno alla barca di Giuliano e Marta nelle "Ore di Torino"; ma è una scommessa che, purtroppo, non si può fare [...].

Dalle opere più tarde del maestro (e dubito che quelle che conosciamo sian sempre opere piuttosto tarde), si può tuttavia cavar tanto da concludere che quel suo puntuale naturalismo di particolari, rilegato poi nei ritmi teneri e persino un po' flaccidi del gotico estremo, non ebbe agio di comunicarsi in alcun senso allo spirito di Masaccio. Sarebbe semmai da assumere cautamente il contrario, e cioè che durante il soggiorno fiorentino qualche tratto di novità non sfuggì all'occhio insinuante di Gentile: la Madonna al centro del polittico Quaratesi, fiancheggiata da angeli attenti, composti, mostra un'inclinazione a semplificare che è pur toscana: non dico di Masaccio, ma di Masolino, almeno o del Ghiberti o dell'Angelico.

Anche a veder, nell'affresco di Orvieto, il riso quasi sfrenato del Bimbo, il suo gesto stesso a torcer la mano della Vergine, e questa dalle guance grevi e affossate [...].

R. Longhi, Fatti di Masolino e di Masaccio, in "Critica d'arte", 1940

[...] Gentile, capace di unire l'arabesco e il rilievo, di equilibrare le masse colorate in un gioco sottile di opposti valori, d'introdurre un movimento musicale in una composizione ferma e statica; oltre a tutto, di conservare una naturalezza, una toccante umanità in un ambiente di lusso e d'eleganza tra i più raffinati. Così più del Pisanello, le cui forme sono più solide, ma freddamente asservite alla resa del vero, Gentile condusse l'arte cortese alle estreme possibilità, come lo fecero fuori d'Italia i suoi ultimi grandi rappresentanti che cercavano di arricchirla di valori spirituali; l'ardente sognatore, il Maestro de Trebon (Wittingau), il mistico di importazione, il Maestro delle Ore di Rohan. Gentile, sereno e squisito, si contenta di lasciarci 'una dolce memoria'.

C. Sterling, Un tableau inédit de Gentile da Fabriano, in "Paragone", 1950

[...] sentiamo che Gentile ha attinto ancora coerenza, equilibrio di elementi, fedeltà alle proprie aspirazioni. In altri termini, il maestro marchigiano, fino all'ultimo, ha saputo conservare alto il grado della qualità dell'arte, tramite quella sua costante serenità morale, che gli ha consentito di assimilare e riesprimere in una propria, diversa sintesi i componenti di culture spesso molto diverse, o addirittura antitetiche. Questo dunque, il senso del cosmopolitismo; il significato della sua situazione concretamente europea, 'internazionale', nella pittura del primo quarto del XV secolo. Ma anche, diremmo, la partecipazione di Gentile alle nuove aspirazioni del Quattrocento. In quanto, cioè, l'artista fornisce la concreta riconferma, tramite le proprie opere, della conciliabilità fra l'onesta tradizione del Gotico, e il fermentare umanistico delle nuove idee, che equivale dunque alla possibilità di trasferire, disciogliere e risolvere senza più residui, per via osmotica e fino alla fusione, quel ricco e ancora amabile passato entro la diversa <i>Weltanschauung</i> rinascimentale. Forse, l'idea di un Gentile da Fabriano umanista potrà far sorridere taluno; ma certamente egli lo è nel maturo equilibrio, idealmente classico, che la <i>Madonna</i> di Velletri esprime; o nella serenante e però intensa umanizzazione dei volti della Vergine e del Bambino, nel medesimo dipinto.

L. Grassi, Tutta la pittura di Gentile da Fabriano, 1953

Converrà allora domandarsi a che punto dell'opera di Gentile convengano questi due pigri, elegantissimi apostoli [...]. Che essi siano nati per i pilastri di un polittico lo dicono le misure e il formato; e di un polittico, senza dubbio di grande impegno suntuario come, fra quelli noti, sono stati il polittico di Valle Romita e quello Quaratesi, proprio ai due capi opposti del percorso di Gentile. Facile, in tal caso sarebbe indicare senza incertezze, una inclinazione stilistica dei due <i>Santi</i> Berenson verso il più antico dei due altari, tanto si prolunga, in similissima guisa la misteriosa arcatura, l'indicibile lunghezza della frase ritmica; dove trascorre in una circolazione senza fine lo stesso torpore esistenziale dei <i>Santi</i> oggi a Brera, e con la stessa lentezza dei moti che destano, la stessa 'indifferenza' di crescere e di spandersi, nella forma, come crescono gli steli e si espandono i fiori.

C. Volpe, Due frammenti di Gentile da Fabriano, in "Paragone", 1958

Ma l'<i>Adorazione dei Magi</i> è opera di straordinaria complessità all'incrocio delle più alte esperienze raggiunte in quegli anni dalla pittura italiana; e va detto anzitutto quanto sia notevole l'abilità senza sforzo apparente con cui il Marchigiano riduce a proprio linguaggio elementi lombardi (le donne dietro la Vergine), senesi (il gruppo divino derivato da Taddeo di Bartolo) e di altra origine, rendendo l'idea di una facoltà di sintesi – nell'aspirazione a uno stile non più regionale – che, se non pari, è certo simile a quella che distinguerà più tardi i suoi conterranei Raffaello e Bramante.

W. Arslan, Gentile da Fabriano, in "Enciclopedia universale dell'arte", V, 1958

Ma anche in questo periodo tardo non si perdono del tutto gli elementi mistici, in certo senso 'popolari' della sua arte; neppure a contatto con l'alta borghesia fiorentina, che in definitiva era il vero sostegno del movimento dell'Osservanza. Con Gentile non si può mai dire – si veda ad esempio, la <i>Natività</i> che è nella predella della grande <i>Adorazione</i> – dove cessino gli elementi mistici e favolosi nella rappresentazione, nei particolari, negli effetti di luce, e dove comincia la sua frequente osservazione della natura. Anche l'<i>Adorazione</i> risente l'influenza non solo delle <i>Très Riches Heures</i> del Duca di Berry, ma, ancor più di un quadro tipicamente gotico-popolare, l'<i>Adorazione</i> di Bartolo di Fredi (Siena, Pinacoteca), l'artista principe del periodo democratico a Siena. Senza dubbio Gentile ha impresso una delicata raffinatezza alle schematiche e bambolesche figure, riccamente vestite, di Bartolo, goffa imitazione di un'arte aristocratica: soprattutto ha svolto la narrazione con un realismo di particolari assai minuto. Nondimeno perdura il rapporto stilistico, che fa intendere come Gentile manifestamente abbia tratto da Bartolo non solo l'affollata disposizione generale, ma anche numerosi motivi singoli.

F. Antal, La pittura fiorentina e il suo ambiente sociale
nel Trecento e nel primo Quattrocento, 1960

Anche Gentile, tuttavia, come tutti i pittori gotico-cosmopolitani, ricerca e rappresenta la realtà: una realtà spicciola e minuta, fatta di piccole cose, di oggetti, di fiori, di animali. Uno specchio della vita cortese di quel primo scorcio del Quattrocento, in cui però ogni più semplice forma si muta in oggetto prezioso. Così il suo vero si trasforma e si intese di colori di fiaba, come fiaba era, in fondo, l'apparenza rispecchiata nell'arte del mondo cortese del Nord.

E. Micheletti, L'Adorazione dei Magi di Gentile da Fabriano, 1963

Intento così a scavare sempre più a fondo nel proprio mondo medievale, anche Gentile non sembra avvedersi delle grandi novità che gli andavano crescendo vicino nella Firenze del 1425, l'anno in cui dipinge il polittico Quaratesi. E se qualche cosa traspare in lui dell'ambiente fiorentino, sono sempre accenti ghibertiani dei nobili profeti sdraiati sulle cuspidi dell'<i>Adorazione</i> e forse masoliniani nel polittico Quaratesi. Qui tuttavia vi è pure una insolita semplificazione di forme, una nuova misura decorativa, che ricompare nella bellissima <i>Madonna</i> adorata da San Lorenzo e San Giuliano, di collezione privata francese, pubblicata dallo Sterling, cui si aggiunge un sentore appena di plasticità e di spazio nel volto proteso e scorciato di San Lorenzo, acutamente pensoso.

Vedeva forse giusto il Vasari che parlava con entusiasmo della predella del polittico Quaratesi come della cosa più bella di Gentile. Qui Gentile si inoltra sulla strada di intimismo luminoso e sentimentale iniziata nella predella dell'<i>Adorazione</i> e raggiunge toni di alta poesia nella scena degli infermi alla tomba di San Nicola [...] con quell'andirivieni di povera gente malata, l'ossessa, lo storpio, il paralitico portato a braccia [...].

L. Castelfranchi Vegas, Il Gotico Internazionale in Italia, 1966

Il colore
nell'arte di
Gentile da Fabriano

Il numero arabo posto qui fra parentesi quadre dopo il titolo di ciascuna opera si riferisce alla numerazione dei dipinti adottata nel Catalogo delle opere che inizia a p. 85.

TAV. I MADONNA CON IL BAMBINO, I SANTI NICCOLÒ E CATERINA, E UN DONATORE Berlino, Staatliche Museen [n. 1]
Assieme (cm. 131×113).

MADONNA CON IL BAMBINO, I SANTI NICCOLÒ E CATERINA, E UN DONATORE Berlino, Staatliche Museen [n. 1]
Particolare (cm. 37×30,5).

TAV. III   POLITTICO DI VALLE ROMITA Milano, Brera [n. 2-11]
Assieme (cm. 280×250).

TAV. IV-V POLITTICO DI VALLE ROMITA Milano, Brera
Particolare dell'*Incoronazione della Vergine* [n. 9] (cm. 44×79).

TAV. VI   POLITTICO DI VALLE ROMITA Milano, Brera
Particolare dell'*Incoronazione della Vergine* [n. 9] (cm. 27×22,2).

TAV. VII   POLITTICO DI VALLE ROMITA Milano, Brera
Particolare dell'*Incoronazione della Vergine* [n. 9] (cm. 27×22,2).

TAV. VIII A e B   POLITTICO DI VALLE ROMITA Milano, Brera
San Gerolamo [n. 7] e *San Francesco* [n. 8] (ciascuno cm. 122×41).

TAV. IX A e B   POLITTICO DI VALLE ROMITA Milano, Brera
San Domenico [n. 10] e *Santa Maria Maddalena* [n. 11] (ciascuno cm. 122×41).

TAV. X POLITTICO DI VALLE ROMITA Milano, Brera
Particolare di *San Gerolamo* [n. 7] (cm. 28×23).

TAV. XI   POLITTICO DI VALLE ROMITA Milano, Brera
Particolare di *San Domenico* [n. 10] (cm. 36×29,5).

TAV. XII A, B, C e D   POLITTICO DI VALLE ROMITA   Milano, Brera
San Giovanni   [n. 2], *Martirio di san Pietro*   [n. 3], *San Tommaso d'Aquino*   [n. 5], *San Francesco riceve le stimmate*   [n. 6]   (ciascuno cm. 49×38).

TAV. XIII   SAN FRANCESCO RICEVE LE STIMMATE ... (Italia), propr. priv. [n. 12]
Assieme (cm. 87×62).

TAV. XIV   MADONNA CON IL BAMBINO E DUE ANGELI Tulsa, Philbrook Art Center (Kress) [n. 14]
Assieme (cm. 61×46).

MADONNA CON IL BAMBINO E ANGELI MUSICANTI Perugia, Galleria Nazionale dell'Umbria [n. 13]
Assieme (cm. 115×64).

TAV. XVI

MADONNA CON IL BAMBINO E ANGELI MUSICANTI New York, Metropolitan Museum of Art [n. 21]
Assieme (cm. 86×56).

TAV. XVII   MADONNA CON IL BAMBINO   Pisa, Museo Civico   [n. 20]
Assieme (cm. 41×36).

TAV. XVIII   MADONNA CON IL BAMBINO   Pisa, Museo Civico   [n. 20]
Particolare (macrofotografia).

TAV. XIX   PALA DELL'ADORAZIONE DEI MAGI
Assieme ricostruito Firenze, Uffizi [n. 26-29¹] (cm. 303×282).

PALA DELL'ADORAZIONE DEI MAGI
Adorazione dei Magi Firenze, Uffizi [n. 26] (cm. 173×220).

TAV. XXII   PALA DELL'ADORAZIONE DEI MAGI
Particolare dell'*Adorazione dei Magi* Firenze, Uffizi [n. 26] (grandezza naturale).

TAV. XXIII PALA DELL'ADORAZIONE DEI MAGI
Particolare dell'*Adorazione dei Magi* Firenze, Uffizi [n. 26] (grandezza naturale).

TAV. XXIV   PALA DELL'ADORAZIONE DEI MAGI
Particolare dell'*Adorazione dei Magi* Firenze, Uffizi [n. 26] (grandezza naturale).

TAV. XXV   PALA DELL'ADORAZIONE DEI MAGI
Particolare dell'*Adorazione dei Magi* Firenze, Uffizi [n. 26] (grandezza naturale).

TAV. XXVII   PALA DELL'ADORAZIONE DEI MAGI
Particolare dell'*Adorazione dei Magi* Firenze, Uffizi [n. 26] (grandezza naturale).

TAV. XXVIII   PALA DELL'ADORAZIONE DEI MAGI
Particolare dell'*Adorazione dei Magi*   Firenze, Uffizi   [n. 26]   (cm. 30,5×25).

TAV. XXIX PALA DELL'ADORAZIONE DEI MAGI
Particolare dell'*Adorazione dei Magi* Firenze. Uffizi [n. 26] (cm. 30,5×25).

TAV. XXX   PALA DELL'ADORAZIONE DEI MAGI
Particolare dell'*Adorazione dei Magi* Firenze, Uffizi [n. 26] (cm. 41,5×34).

TAV. XXXI   PALA DELL'ADORAZIONE DEI MAGI
Particolare dell'*Adorazione dei Magi* Firenze, Uffizi [n. 26] (cm. 35,5×81).

TAV. XXXII   PALA DELL'ADORAZIONE DEI MAGI
Particolare dell'*Adorazione dei Magi* Firenze, Uffizi [n. 26] (grandezza naturale).

TAV. XXXIII A   PALA DELL'ADORAZIONE DEI MAGI
Particolare dell'*Adorazione dei Magi* Firenze, Uffizi [n. 26] (n. 35,5×57).

TAV. XXXIII B   PALA DELL'ADORAZIONE DEI MAGI
Particolare dell'*Adorazione dei Magi* Firenze, Uffizi [n. 26] (cm. 28,5×57).

TAV. XXXIV PALA DELL'ADORAZIONE DEI MAGI
Particolare dell'*Adorazione dei Magi* Firenze, Uffizi [n. 26] (grandezza naturale).

TAV. XXXV   PALA DELL'ADORAZIONE DEI MAGI
Particolare dell'*Adorazione dei Magi* Firenze, Uffizi [n. 26] (grandezza naturale).

TAV. XXXVI-XXXVII   PALA DELL'ADORAZIONE DEI MAGI
Fuga in Egitto Firenze, Uffizi [n. 28] (cm. 25×88).

TAV. XXXVIII   PALA DELL'ADORAZIONE DEI MAGI
Particolare della *Fuga in Egitto* Firenze, Uffizi [n. 28] (grandezza naturale).

TAV. XXXIX A PALA DELL'ADORAZIONE DEI MAGI
Natività Firenze, Uffizi [n. 27] (cm. 25×62).

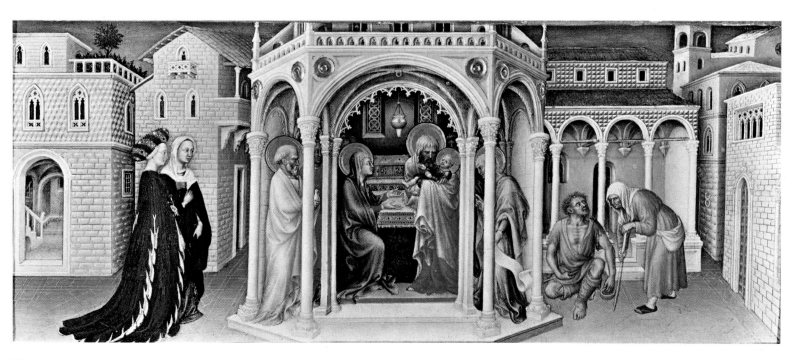

TAV. XXXIX B PALA DELL'ADORAZIONE DEI MAGI
Presentazione al Tempio Parigi, Louvre [n. 29] (cm. 25×62).

TAV. XL   PALA DELL'ADORAZIONE DEI MAGI
Particolare della *Presentazione al tempio* Parigi, Louvre [n. 29] (grandezza naturale).

TAV. XLI PALA DELL'ADORAZIONE DEI MAGI
Particolare della *Presentazione al tempio* Parigi, Louvre [n. 29] (grandezza naturale).

TAV. XLII PALA DELL'ADORAZIONE DEI MAGI
Particolare della *Natività* Firenze, Uffizi [n. 27] (macrofotografia).

TAV. XLIII A, B e C   PALA DELL'ADORAZIONE DEI MAGI
Clipei con il *Cristo giudice* e l'*Annunciazione* Firenze, Uffizi [n. 26] (rispettivamente diametro cm. 21,5 e cm. 17,5).

TAV. XLIV A-F   PALA DELL'ADORAZIONE DEI MAGI
Particolari delle cuspidi   Firenze, Uffizi   [n. 26]   (ciascuno base cm. 29,5).

B

C

TAV. XLV A, B e C   PALA DELL'ADORAZIONE DEI MAGI
                     Particolari della cornice Firenze, Uffizi [n. 26] (ciascuno cm. 29,5×7).

TAV. XLVI   INCORONAZIONE DELLA VERGINE Parigi, propr. priv.   [n. 22]
Assieme (cm. 85×62).

MADONNA CON IL BAMBINO Washington, National Gallery of Art [n. 43]
Assieme (cm. 96×57).

TAV. XLVIII   MADONNA CON IL BAMBINO Washington, National Gallery of Art   [n. 43]
Particolare (cm. 33×27).

MADONNA CON IL BAMBINO E SANTI New York, Frick Collection [n. 41]
Assieme (cm. 91×47).

TAV. L   MADONNA CON IL BAMBINO (frammento) Firenze, Collezione Berenson [n. 45]
Assieme (cm. 25×19).

POLITTICO QUARATESI
Madonna con il Bambino e Angeli Hampton Court, collezioni reali [n. 33] (cm. 200×75 c.).

TAV. LII A e B   POLITTICO QUARATESI
Santa Maria Maddalena [n. 31] e *San Nicola di Bari* [n. 32]   Firenze, Uffizi   (ciascuno cm. 200×60 c.).

TAV. LIII A e B   POLITTICO QUARATESI
San Giovanni Battista [n. 34] e *San Giorgio* [n. 35] Firenze, Uffizi (ciascuno cm. 200×60 c.).

A

B

TAV. LIV A e B POLITTICO QUARATESI
Particolari del *San Nicola di Bari* Firenze, Uffizi [n. 32] (grandezza naturale).

TAV. LV A, B, C e D   POLITTICO QUARATESI
Particolari del *San Nicola di Bari* Firenze, Uffizi [n. 32] (grandezza naturale).

TAV. LVI · POLITTICO QUARATESI
Nascita di san Nicola Roma, Pinacoteca Vaticana [n. 36] (cm. 36×36).

TAV. LVII   POLITTICO QUARATESI
San Nicola dona tre palle d'oro alle tre fanciulle povere Roma, Pinacoteca Vaticana [n. 37] (cm. 36×36).

TAV. LVIII   POLITTICO QUARATESI
San Nicola resuscita tre fanciulli Roma, Pinacoteca Vaticana [n. 39] (cm. 37×37).

TAV. LIX   POLITTICO QUARATESI
Infermi e pellegrini alla tomba di san Nicola Washington, National Gallery (Kress) [n. 40] (cm. 35×36).

TAV. LX   POLITTICO QUARATESI
San Nicola placa il fortunale in mare   Roma, Pinacoteca Vaticana   [n. 38]   (cm. 30×62).

TAV. LXI   ANNUNCIAZIONE Roma, Pinacoteca Vaticana [n. 44]
                 Assieme (cm. 41×49).

TAV. LXII   MADONNA CON IL BAMBINO   New Haven, Yale University Art Gallery   [n. 46]
Assieme (cm. 90 × 63).

TAV. LXIII   MADONNA CON IL BAMBINO Orvieto, Duomo [n. 47]
Assieme (cm. 225×125).

TAV. LXIV   MADONNA CON IL BAMBINO   Velletri, Capitolo del Duomo   [n. 48]
Assieme (cm. 119×73).

Analisi
dell'opera pittorica
di Gentile da Fabriano

Convenzioni
e abbreviazioni

82

Allo scopo di rendere immediatamente palesi gli elementi essenziali di ciascuna opera, l'intestazione di ogni 'scheda' del *Catalogo* (a partire da pag. 86) reca — dopo il numero del dipinto (che segue il più attendibile ordine cronologico e al quale si fa riferimento ogniqualvolta l'opera venga citata nel corso del volume), dopo il titolo e dopo l'eventuale ubicazione — una serie di abbreviazioni riferite alla tecnica; al supporto; alle dimensioni (fornite in centimetri: prima l'altezza, poi la base); all'eventuale presenza di firma e/o di data. Quando tali dati non possono essere indicati con certezza ma solo in via approssimativa sono fatti seguire da 'circa' (c.) o da un punto interrogativo (?). Tutti gli elementi forniti registrano l'opinione prevalente nella moderna storiografia d'arte: ogni discordanza di rilievo e ogni ulteriore precisazione vengono dichiarate nel testo.

Tecnica e supporto

af: affresco
tv: tempera su tavola

Dati accessori

d: opera datata
f: opera firmata

Bibliografia
essenziale

G. VASARI, *Vite*, Firenze 1550, 1568² (ed. a cura di G. Milanesi, Firenze 1906)
L. LANZI, *Storia pittorica dell'Italia*, Firenze 1789
A. RICCI, *Elogio del pittore Gentile da Fabriano*, Macerata 1829
G. B. CAVALCASELLE [- J. A. CROWE], *Storia della pittura in Italia*, Verona 1873-1908
A. VENTURI, *Le vite... scritte da G. Vasari: Gentile da Fabriano e il Pisanello*, Firenze 1896
G. POGGI, *La cappella e la tomba di Onofrio Strozzi nella chiesa di Santa Trinita*, Firenze 1903
A. COLASANTI, *Gentile da Fabriano*, Bergamo 1909
A. VENTURI, *Storia dell'arte italiana*, VII, Milano 1911
L. VENTURI, *Un quadro di Gentile da Fabriano a Velletri*, "BA" 1913
L. VENTURI, *Attraverso le Marche*, "A» 1915

B. C. KREPLIN, *Gentile da Fabriano*, «KL", XIII, 1920
B. MOLAJOLI, *Gentile da Fabriano*, Fabriano 1927
R. VAN MARLE, *The Development of the Italian Schools of Painting*, VIII, The Hague 1927
D. E. COLNAGHI, *A Dictionary of Florentine Painters*, London 1928
R. LONGHI, *Me pinxit. Un San Michele Arcangelo di Gentile da Fabriano*, "PI" 1928
A. COLASANTI, *Gentile da Fabriano*, "EI», XVI, 1932
A. L. MAYER, *Zum Problem Gentile da Fabriano*, "PT" 1933
L. SERRA, *L'arte nelle Marche*, II, Roma 1934
B. BERENSON, *I pittori italiani del Rinascimento*, Milano 1936
R. LONGHI, *Fatti di Masolino e di Masaccio*, "CA" 1940
W. SUIDA, *Two Unpublished Paintings by Gentile da Fabriano*, "AQ" 1940

B. DEGENHART, *Pisanello*, Torino 1945
E. LAVAGNINO, *Un affresco di Gentile da Fabriano a Roma*, "AF" 1945
L. GRASSI, *Considerazioni intorno al polittico Quaratesi*, "P" 1951
L. GRASSI, *Tutta la pittura di Gentile da Fabriano*, Milano 1953
C. STERLING, *Un tableau inédit de Gentile da Fabriano*, "P" 1958
C. VOLPE, *Due frammenti di Gentile da Fabriano*, "P" 1958
L. MAGAGNATO, *Da Altichiero a Pisanello*, Venezia 1958
W. ARSLAN, *Gentile da Fabriano*, "EUA", V, 1958
F. ANTAL, *La pittura fiorentina e il suo ambiente sociale nel Trecento e nel primo Quattrocento*, Torino 1960
L. BERTI, *Masaccio*, Milano 1964

Elenco delle abbreviazioni

A: "L'arte"
AF: "Arti figurative"
AJA: "American Journal of Archeology and of History of the Fine Arts"
AP: "Augusta Perusia"
AQ: "The Art Quarterly"
BA: "Bollettino d'arte"
C: "Commentarii"
CA: "Critica d'arte"
EI: "Enciclopedia italiana"

EUA: "Enciclopedia universale dell'arte"
JBK: "Jahrbuch der bildenden Künste"
JPK: "Jahrbuch der preussischen Kunstsammlungen"
KL: "Künstler-Lexikon" di Thieme-Becker
P: "Paragone"
PI: "Pinacotheca"
PT: "Pantheon"
RA: "Rassegna d'arte"

Documentazione sull'uomo e l'artista

1370 c. Intorno a quest'anno si pone ipoteticamente, ma con notevole probabilità, la nascita di Gentile di Niccolò di Giovanni di Massio, mercante di stoffe, in Fabriano. Purtroppo l'assoluta mancanza di documenti relativi alla giovinezza del pittore e ai suoi anni fabrianesi, come la mancanza di opere giovanili, rende pressoché misteriosa la sua formazione artistica, anche perché le opere sue ascrivibili agli anni della permanenza a Fabriano lo mostrano già al corrente dell'arte senese e dei modi miniaturistici lombardi. Inoltre tutta l'attività nota precedente il soggiorno veneziano, ben documentato, e solo induttivamente datato, si riduce a due o tre opere.

1390-95. Entro questo lustro o poco oltre si ritiene in genere eseguita la piccola pala di Berlino (n. 1), in cui il pittore appare già su una via di libera interpretazione dei moduli lombardi e senesi. È questa una delle ragioni fondamentali che inducono a pensare a un primo viaggio giovanile di Gentile in Lombardia, ipotesi purtroppo non convalidata da documenti. Anche ragioni di ordine pratico ci soccorrono in questa supposizione: sappiamo, infatti, che il padre di Gentile, rimasto vedovo, entrò nell'ordine monastico di Monte Oliveto, ciò che forse non sarebbe avvenuto se si fosse sentito ancora da obblighi e responsabilità verso i figli. Invece una figlia era già andata sposa a ser Egidio dei Bizochi e Gentile, ormai padrone di se stesso, probabilmente vagheggiava da tempo un viaggio nell'Italia del Nord, viaggio attuato effettivamente subito dopo la morte del padre, avvenuta nel 1385. Inoltre quasi con certezza, in quegli anni di giovanile indipendenza, più volte egli si era recato, se non fino a Siena, a Orvieto, aperta alle più preziose esperienze del mondo senese e gotico in genere; forse attiratovi particolarmente da quell'Ugolino di Prete Ilario, pittore ancora non ben definito e piuttosto misterioso, ma che certo per molti versi preannuncia l'arte e lo spirito di Gentile.

1400-05. Non oltre questi anni Gentile, nuovamente a Fa-

Ritratto di Gentile da Fabriano quale viene riprodotto nelle Vite del Vasari (1568[2]).

briano dopo i supposti viaggi a Siena, Orvieto e forse in Lombardia, deve avere eseguito il grande polittico con l'*Incoronazione della Vergine* (ora a Brera [n. 2-11]), proprio per offrire in patria la prova delle sue possibilità. Nel polittico di Valle Romita infatti, a testimoniare una fase di ripensamenti su esperienze recenti, ai motivi lombardi si uniscono forti elementi seneseggianti. In questi stessi anni, Gentile dovette probabilmente passare più volte anche da Perugia, dove eseguì la *Madonna con il Bambino e Angeli* per la chiesa di San Domenico (n. 13), e forse anche il *San Francesco riceve le stimmate* (n. 12), nonché verosimilmente altre opere delle quali si è perduto anche il ricordo. Questi pochi dipinti sono determinanti per la ricostruzione della vicenda artistica di Gentile, ma la compiutezza della loro esecuzione rende ancora più misteriosi gli antecedenti del pittore,

confermando i suoi presunti contatti con civiltà artistiche evolute come la lombarda e la senese, a meno che non si voglia dar credito a un fenomeno di autogenesi, come del resto fu già supposto per Masaccio.

1408. È documentata la presenza di Gentile a Venezia, dove tuttavia doveva risiedere da qualche anno, ed esservi conosciuto, se già gli venivano commissionate opere da parte di nobili veneziani, pagate il doppio che ad artisti locali. In quest'anno infatti dipinge l'ancona, purtroppo perduta, per Francesco Amadi di cui al n. 15 (si veda), ricevendone un compenso assai alto. La via di Venezia fu forse facilitata a Gentile dalle relazioni che legavano i Chiavelli, signori di Fabriano, con la Serenissima. Secondo il Sansovino, venne considerato in Venezia "pittore di tanta reputazione da godere della provisione di un ducato il giorno" e il privilegio di vestire "a maniche aperte" secondo la prerogativa concessa dal Senato veneziano per riconoscimento di meriti particolari.

1409. Generalmente si data in quest'anno il compimento dell'affresco oggi perduto (n. 17) per la sala del Maggior Consiglio in Palazzo Ducale, raffigurante la battaglia navale fra i veneziani e Ottone III, figlio di Federico Barbarossa. Nel periodo veneziano, che si protrae fino al 1414, Gentile dipinse due ritratti per Antonio Pasqualino (n. 16 a, b) e "una tempesta di mare" (n. 18) citata dal Facio, che destò subito grande ammirazione, opere tutte perdute. Forse si può ascrivere agli anni veneziani la *Madonna* Kress di Tulsa (n. 14). È

indubbio che l'innesto dell'arte gentilesca, ricca di linee calligraficamente rabescate, nel cromatismo lagunare di stampo nettamente bizantino, dette vita a una nuova, vigorosa civiltà artistica che, partendo da Jacobello del Fiore e Michele Giambono, arriverà a Jacopo Bellini — patriarca della futura grande età veneziana —, che verosimilmente fu suo fedele discepolo.

1414. Il 17 aprile, a Brescia, Gentile sta dipingendo una cappella nel Broletto per commissione di Pandolfo Malatesta, da poco signore della città (n. 19). Anche questi affreschi, certo molto importanti, sono andati perduti; ne è rimasto il ricordo, legato a numerosi documenti conservati nell'Archivio Comunale di Fano (si veda *1415, 1415-1421, 1416, 1417, 1418*), ma se ne ignorano i soggetti.

1415. Al pittore, ancora intento a Brescia agli affreschi del Broletto, vengono addebitati duecento ducati: "M. Gentile da Fabriano è addebitato di Ducati Duecento pagatigli per provvigione del mese di gennaio" (Archivio Comunale di Fano, vol. 48, carta 162).

1415-21. In questi sei anni sono numerose le partite di dare e avere nei documenti di Fano relativi agli affreschi di Brescia in cui il maestro è detto "Magister Gentilis de Fabriano pictor capelle Magnifici et excelsi Dn. nri" (*ibid.*, vol. 58, carta 230).

1416. Il nome di Gentile appare nuovamente in alcuni documenti relativi alla cappella di Brescia (*ibid.*, vol. 50, carte 63-164).

1417. Altri conti annotano il nome di Gentile in relazione con gli affreschi bresciani (*ibid.*, vol. 51, carta 97).

1418. Il nome di un "Maestro Nicholò da Fabriano", probabilmente un collaboratore, ricorre vicino a quello di Gentile in documenti relativi alla cappella del Broletto (*ibid.*, vol. 52, carta 45). È probabile, d'altra parte, che nell'esecuzione del ciclo Gentile si valesse di aiuti. Forse nello stesso anno avviene l'incontro del pittore con il papa Martino V, in Brescia, poiché si ha notizia dell'esecuzione di un'ancona, purtroppo perduta, destinata in dono al pontefice. Agli anni bresciani potrebbe verosimilmente appartenere la delicatissima *Madonna col Bambino*, ora nel Museo Civico di Pisa (n. 20) ricca di ricordi cosmopolitani, quali Gentile poteva avere assorbito in modo par-

ticolare a Brescia, città legata, come tutta la Lombardia, alla civiltà artistica del Nord. A questo proposito, va ricordato un documento del primo Quattrocento rinvenuto nel Codice Picenardiano di Cremona che cita insieme il francese Jean d'Arbois (l'Arbosio), Michelino da Besozzo e lo stesso Gentile: "Idem - hac etate de Johanne Arbosio, Michelino Papiensi et Gentili de Fabriano pictoribus prestantissimi dici potest" (Malaguzzi-Valeri, *Pittori lombardi del Quattrocento*, 1902).

1419, 18 SETTEMBRE. Ultimati i lavori nella cappella del Broletto (si veda *1414*), Gentile chiede licenza a Pandolfo Malatesta di lasciare il suo servizio per seguire il pontefice verso Roma. In una lunga lettera — unica testimonianza autografa del pittore — fa domanda al suo signore per un salvacondotto: "Strenue vir maior honorande. Quando il Papa fo in questa terra, volse la sua Sanctitade, che io gli promettesse andare da lui finita questa cappella, che aveva comensata al Signor misser Pandolfo. E perché al presente la ho finita, et altro non ho da fare ve prego quanto so et posso che ve ne piaccia esser cum lo Conte Carmagnola et pregarlo che glie piaccia concedermi un salva condotto per octo persone et octo cavalli che dure al manco XV dì, et comenzi venardì XXII di questo mese, et pregove che mel facciate far pieno quanto se po, a ciò che io possa andar siguro. Mando da voi Angelino todesco mio famiglio per questa caxion, piacciave de farlo spacciare più presto che voi possete. Aracomandame a voy, et se io posso, o porò, may fare cosa che ve piaccia so sempre apparecchiato. Dat brix XVIII sept 1419. El vostro Zentile da Fabriano pentore". Dalla limitazione di tempo, appare evidente l'intenzione del pittore di tornare a Brescia, forse nella convinzione che proprio l'ambiente lombardo fosse il più consono alla sua arte, e fors'anche nel dubbio che i contatti col mondo artistico centro-italiano, che certo sapeva di avere durante il viaggio, fossero in contrasto con la sua educazione artistica e il suo gusto. È indubbio peraltro che dai tenui indizi ricavabili dai documenti, dalla lettera a Pandolfo e dalla tradizione, Gentile appare come una personalità serena, mite, davvero 'gentile'. E sarà caro, anche nel tempo fiorentino, certo il più impegnato, vederlo muoversi entro i confini della sua eterna favola, in un ritorno continuo e fedele alle sue radici culturali e alle sue scelte artistiche e intellettuali.

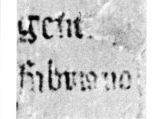

(Dall'alto). Alcuni esempi di firme dell'artista quali appaiono nelle opere di cui ai n. 2-11, 26-29, 46 del Catalogo.

1420. Con ogni probabilità in questa data il pittore è a Fabriano. Infatti Martino V, allarmato dalle notizie provenienti da Roma, aveva cambiato i propri programmi decidendo di fare una prolungata sosta a Firenze, dove in effetti rimase fino al 9 settembre. Gentile allora, forse non riuscendo subito ad ambientarsi nella città, ritorna a Fabriano, presumibilmente con l'intenzione di rimanervi a lungo, magari per sempre visto che proprio il 23 marzo chiede al vicario della chiesa, Tommaso Chiavelli, l'esonero dal pagamento delle tasse nella prospettiva di vivere e morire nella città natale ("eo quod est dispositus vivere et mori et artem sua facere in terra Fabriani"). Una nuova supplica a Tommaso Chiavelli, in data 6 aprile, relativa alla richiesta di esenzione dalle tasse, ci fa supporre che Gentile meditasse di ridurre notevolmente il suo soggiorno a Fabriano.

1422, 21 NOVEMBRE. Gentile viene citato al n. 10 delle matricole del contado di Santa Trinita, nell'arte dei Medici e Speziali ("Magister Gentilis Nicolai Johannis Massi de Fabriano pictor, habitator Florentiae in populo Sancte Trinitatis"). Dal momento che l'iscrizione a un'arte non era concessa a chi abitasse nella città sol'anto da poco tempo, si suppone che egli si trovasse a Firenze almeno dai primi mesi del 1422. È da notare che nello stesso anno viene iscritto nell'arte dei Medici e Speziali anche Masaccio.

1423. In maggio, il pittore firma e data l'*Adorazione dei Magi* (n. 26-29), eseguita su commissione di messer Palla Strozzi per la cappella di famiglia in Santa Trinita, oggi trasformata in sagrestia. Potrebbero inoltre appartenere al pennello di Gentile, quantunque ampiamente restaurati, gli affreschi a soggetto floreale nell'arco reale della volta sopra la tomba di Noferi Strozzi. In data 8 giugno Palla Strozzi annota in un suo quaderno di cassa, conservato nell'Archivio fiorentino, di essere debitore di 150 fiorini d'oro nei confronti di Gentile ("Messer

Sant'Antonio abate, san Pietro e angelo annunciante *(penna e bistro mm. 142×196; Vienna, Albertina)*; con ogni probabilità l'unico disegno autografo di Gentile da Fabriano, non inserito nel presente Catalogo *poiché privo di relazioni con l'opera nota del maestro.*

Palla di Nofri degli Strozzi [...] de' dare a dì VIII Giugno fiorini CL d'oro, per lui e maestro a maestro Gentile da Fabriano, maestro di dipintura [...]"; si veda G. Poggi, *La cappella e la tomba di Noferi Strozzi*, 1903). Non è noto se si tratti dell'intero compenso per l'*Adorazione* o di una parte soltanto. L'11 giugno, all'indomani dell'esposizione al pubblico dell'*Adorazione dei Magi* in Santa Trinita, Gentile è al centro di un increscioso episodio.
Un tale Bernardo, figlio di un notaio fiorentino, con alcuni compagni getta sassi nel cortile dove il pittore aveva sistemate "certa scultilia et picture maxime importante". Rimproverato da Jacopo di Piero Veneto, allievo di Gentile, Bernardo risponde con improperi. Jacopo passa a vie di fatto e prende a bastonate il giovinastro, ferendolo. Ne deriva un processo con la condanna di Jacopo in contumacia, la sua cattura e, alla fine, la pacificazione (i documenti relativi al fatto si trovano nell'Archivio di Stato di Firenze). A proposito di detto Jacopo, si è supposto trattarsi di Jacopo Bellini; identificazione peraltro molto allettante, ma ostacolata dal fatto che questi risulterebbe figlio di un

Niccolò e non di un Piero. D'altra parte, il legame fra il pittore di Fabriano e Jacopo è dimostrato non solo da talune affinità stilistiche, tecniche e culturali, ma anche dal fatto che Jacopo come affettuoso omaggio diede il nome di Gentile al proprio primogenito, appunto quel Gentile Bellini, illustratore fantasioso e garbato della storia veneziana, per certi versi ancora operante nella scia del marchigiano.

1425. In maggio, Gentile sottoscrive il politico Quaratesi (n. 31-40), eseguito per la cappella di quella famiglia nella chiesa fiorentina di San Niccolò sopr'Arno. Il 22 giugno il pittore è certamente a Siena, dove prende in affitto la casa da tale Leonardo di Betto al prezzo di dodici lire, con un contratto valido fino all'agosto dello stesso anno. Durante il soggiorno senese Gentile dipinge la *Madonna dei Notai*, oggi perduta (n. 42).
Per ignote ragioni lasciò l'opera incompiuta: risulta infatti che per portarla a termine ritornerà a Siena l'anno seguente, dopo una breve sosta ad Orvieto. In questi termini il Tizio (1425) descrive la *Pietà* che completava l'opera: "angeli duo sunt aereo colore tam tenui picti, tamque esiti lineatura in

tergo lapide, ut nisi quis etiam ostensis acutissimum figat intentum conspicere non valeat". Il 16 ottobre Gentile deve essere da qualche mese a Orvieto, o per lo meno deve avere frequentemente alternato al soggiorno senese quello orvietano, poiché in questa data vi è una prima nota di pagamento a suo nome nei libri dell'archivio dell'Opera del Duomo, relativa all'affresco con la *Madonna e il Bambino* (n. 47), evidentemente già iniziato; un secondo pagamento appare in data 2 ottobre: mentre il 9 dicembre sembra che l'opera sia già ultimata da qualche tempo. In tali documenti, Gentile è detto "egregium magistrum".

1426, OTTOBRE. Il Tizio cita Gentile come nuovamente presente in Siena in questo periodo, probabilmente per completare in alcune parti lasciate irrisolte l'anno precedente la *Madonna dei Notai* ("anno elapso incohatas et non plene absolutas"). Purtroppo non si è potuto colmare il vuoto fra il 1425 e l'ottobre 1426, quasi un anno durante il quale, d'altra parte, è impossibile che il pittore non abbia eseguito altre opere a Orvieto, Perugia o Siena, a meno di non supporre un breve ritorno in patria o un primo rapidissimo viaggio a Roma. Sembra infatti improbabile che il pontefice non sollecitasse Gentile a recarsi a Roma secondo l'invito, ormai lontano, del 1418; non è da escludere peraltro che il papa, certamente oberato da problemi di ben altro ordine, spirituali e pratici, non sentisse poi così urgente l'opera di Gentile che pure gli stava a cuore. Altrettanto improbabile è che da Orvieto, già sulla strada di Roma, il pittore tornasse a Siena o vagabondasse ancora per l'Italia centrale, a meno che ipoteticamente egli non fosse arrivato fino a Roma per poi tornare brevemente a Siena. Non è possibile stabilire la data esatta del suo arrivo a Roma perché i documenti relativi al soggiorno romano si riferiscono solo a pagamenti per gli affreschi e non specificano i tempi dell'esecuzione.

1427. Dal 28 gennaio al mese di luglio Gentile viene pagato in ragione di venticinque fiorini al mese per gli affreschi da lui condotti in San Giovanni in Laterano (n. 50). A Roma il pittore abita nel convento olivetano di Santa Maria Nova, dove lavora per quei monaci e dove morirà fra l'agosto e l'ottobre di quest'anno, lasciando incompiuti gli affreschi di San Giovanni. Dal mese di agosto infatti non appaiono altri documenti relativi al pagamento del pittore, pagamento che costituiva un vero e proprio stipendio mensile. Il 14 ottobre, morto Gentile, fra' Giovanni da Padova, priore di Santa Maria Nova, corrisponde allo zio del pittore, Onofrio di Giovanni Massi, la somma di duecento lire con atto del notaio Nardo Vanettini. Con ogni probabilità la cifra si riferisce al pagamento dell'ultima opera del maestro, cioè il perduto affresco raffigurante la *Madonna con il Bambino tra i santi Giuseppe e Benedetto* (n. 51), eseguita

sulla tomba del cardinale fiorentino Alemanno Adimari, in Santa Francesca Romana (già Santa Maria Nova). Durante il breve soggiorno romano Gentile dovette comunque eseguire altre opere: di alcune rimane solo il ricordo, come del ritratto del papa e di dieci cardinali (n. 49); una è da identificarsi con ogni probabilità nella *Vergine con il Bambino* del duomo di Velletri (n. 48), proveniente dalla chiesa romana dei Santi Cosma e Damiano; di altre infine, probabilmente non molte dato il grande impegno degli affreschi lateranensi, non rimane neppure memoria. Gentile morì improvvisamente o, almeno, di una malattia repentina, lasciando incompiuti gli affreschi citati. Morendo nominò suo esecutore testamentario il priore del convento presso cui abitava, probabilmente proprio perché sentì, fulmineo, il sopraggiungere della fine.

1428, 22 NOVEMBRE. La nipote di Gentile, Maddalena, figlia dello zio del pittore e di ser Egidio de' Bizochi di Fabriano, firma l'accettazione dell'eredità del pittore morto "ab intestato" in Roma. È l'ultimo documento che, sia pure in via indiretta, si riferisce a Gentile. Per sua espressa volontà egli fu sepolto in Santa Maria Nova, dove aveva vissuto nel breve periodo romano, eseguendovi l'ultima sua opera, l'affresco sulla tomba del cardinale Adimari descritto dal Vasari: "Dipinse in Roma, in Santa Maria Nuova, sopra la sepoltura del Cardinale Adimari, fiorentino e arcivescovo di Pisa; al quale è allato di papa Gregorio IX; in un archetto la nostra Donna col Figliuolo in collo, in mezzo a San Benedetto e a San Giuseppe" (si veda n. 51). Anche la tomba di Gentile è scomparsa, ma ne resta l'iscrizione funebre in un codice miniato della Biblioteca Laurenziana di Firenze rinvenuto da P. D'Ancona ("A" 1908): "Si te divinas fas esset flere Camoenas / Pictorum hac luget diva Camoena sitim / Credo equidem vivos pingebas in aerea vultus / Quod probat inceptum magni Johannis opus. / Si quis huius igitur nomen patriamque requiras, / Gentilis nomen, at Fabriana domus. / Mercedem petit ipse sibi pro talibus actis, / Divinam poscas illi, viator, opem" (Se mai fosse concesso che le divine Muse ti piangessero, / per di qua la divina Musa sarà afflitta dal desiderio di averti ancora fra i pittori, / penso infatti che tu sapevi dipingere in una superficie volti viventi, / come prova l'opera tua incominciata nella grande (basilica) di San Giovanni, / se poi qualcuno, o tu, richiedessi il nome e la patria di costui, / sappi che il nome è Gentile, e la città natale Fabriano. / Egli stesso domanda per sé una ricompensa a tale sua operosità, / e anche tu, o viandante, implora per lui l'aiuto del Signore). Morendo aveva abbandonato in San Giovanni in Laterano alcuni arnesi del mestiere, più tardi usati dal Pisanello, venuto nel 1432 a proseguire l'opera lasciata incompiuta da Gentile e che infine furono venduti per la somma di 10 ducati d'oro.

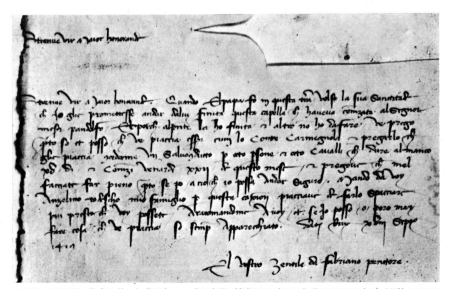

Lettera autografa di Gentile da Fabriano a Pandolfo Malatesta (si veda Documentazione 1419) conservata presso la Sezione di Archivio di Stato di Fano, vol. 113 della Miscellanea. Riproduzione autorizzata dal Ministero per i Beni Culturali e Ambientali (Parere n. 956).

84

Catalogo delle opere

Elenco cronologico e iconografico dei dipinti di Gentile da Fabriano o a lui attribuiti

La produzione artistica di Gentile da Fabriano non accompagna regolarmente lo svolgersi della sua esistenza. Abbiamo visto infatti (si veda *Introduzione*) come quasi nulla ci sia pervenuto dei presumibili, primissimi anni della sua attività, e neppure del soggiorno a Roma che chiude la sua vita e la sua opera. Quale testimonianza del suo lavoro sono giunte sino a noi solo le pitture del periodo fiorentino, due delle quali sono firmate e datate 1423 e 1425, vale a dire nel culmine della maturità.

Intorno a queste, per affinità di concezione e di stile, se ne sono raggruppate altre certamente di sua mano, mentre per altre ancora l'attribuzione è stata validissime proposta dalla critica. Diciamo timidamente, perché non vi sono documenti a convalida di queste ipotesi, né stringenti e sicuri confronti. Il gusto del momento e la presumibile formazione giovanile del pittore su precedenti senesi e su nozioni più o meno dirette, ma certamente validissime, del mondo artistico lombardo (visibili chiaramente nelle opere eseguite con certezza a Fabriano, fra l'ultimo decennio del Trecento e i primi anni del Quattrocento), e le evidenti, giustificate relazioni con l'arte veneziana, comprovate da documenti almeno a partire dal 1408, hanno consentito di individuare qualche opera di Gentile ascrivibile al periodo veneziano e agli anni di Brescia. Proprio in tali anni, fra il 1408 e il 1419, il maestro attendeva alle commissioni più importanti, gli affreschi del Palazzo Ducale di Venezia e quelli nella cappella del Broletto bresciano (di questi ultimi non è rimasta neppure notizia del tema: se ne hanno soltanto le testimonianze dei documenti e delle descrizioni ammirate dei contemporanei). Più per induzione, o addirittura per sensazione, che per ragioni storicamente valide e probanti, si riferiscono al medesimo periodo la *Madonna* del Museo Civico di Pisa (n. 20) e quella già Davies (n. 21).

Successivamente, l'arte di Gentile fiorisce, quasi improvvisa e del tutto compiuta, a Firenze e insieme si palesa più apertamente la sua vita. Anche se i documenti tacciono su questo, sentiamo ora vivi, ed era inevitabile, i contatti col mondo fiorentino circostante. Del resto, dagli esiti pittorici, in particolare dall'*Adorazione dei Magi* di Santa Trinita (n. 26-29), e soprattutto dal polittico Quaratesi (n. 31-40), risulta chiaro e innegabile come proprio Gentile, il più 'cortese' dei maestri gotico-internazionali prima di Pisanello, sia stato il primo pittore non toscano ad avere coscienza delle nuove formule artistiche rinascimentali, sia pure senza riuscire a comprenderle appieno. Grazie a queste opere fondamentali, firmate e datate, è stato possibile ricostruire una sia pure esigua parte dell'attività di Gentile, relativa soprattutto al periodo fiorentino. Poi, di nuovo il vuoto assoluto, o quasi, di opere, perdute quelle di Siena e soprattutto di Roma, ricordate da documenti e da descrizioni.

Solo la *Madonna* di Orvieto (n. 47), col suo ridente e sfrenato Bambino, conferma, ancora una volta, le positive, anche se epidermiche conseguenze dell'esperienza fiorentina che, in fondo, è l'unica variante nella coerenza espressiva del pittore impegnato seriamente e, diremmo, umilmente, a operare con convinzione secondo i canoni dell'arte gotico-internazionale.

1. MADONNA CON IL BAMBINO, I SANTI NICCOLÒ E CATERINA, E UN DONATORE.
Berlino, Staatliche Museen

tv 131×113

Sulla cornice originaria, o per lo meno coeva (attualmente staccata dalla tavola), la scritta: "GENTILIS DE FABRIANO PINSIT". Dipinta per la chiesa di San Niccolò a Fabriano, passò, secondo una notizia manoscritta del 1660, nella casa Leopardi a Osimo; di qui fu trasferita a Matelica, dove rimase fino al 1828; nel 1829 A. Ricci la vide a Roma, in casa Massani; acquistata da Federico Guglielmo III di Prussia nel 1837, venne collocata nel museo berlinese. È da considerarsi una delle prime opere del maestro, eseguita forse alla fine del Trecento, certo prima della sua partenza per Venezia; ciò nonostante vi sono già palesi presentimenti della miniatura lombarda.

Polittico di Valle Romita

Dipinto probabilmente intorno al 1400 per la chiesa del convento dei Minori Osservanti, in Val di Sasso (Valle Romita) presso Fabriano, anche se taluno ritiene che vi venisse trasferito da altra chiesa, nel 1405, quando Chiavello Chiavelli, signore di Fabriano, donò l'eremo a quei monaci; rimase *in loco* fino ai primi anni dell'800; durante il regno italico fu rimosso e smembrato: i cinque pannelli maggiori (n. 7-11) furono trasferiti a Milano, nella pinacoteca di Brera, il 24 settembre 1811, mentre rimasero a Fabriano, in casa Rosei, quattro (n. 2, 3, 5, 6) delle cinque tavolette che presumibilmente sovrastavano i santi, vendute poi anch'esse a Brera nell'ottobre 1901. Il polittico fu ivi ricomposto nel 1925, sotto la direzione di Ettore Modigliani; risulta mancante l'ultima tavoletta (con ogni probabilità la cuspide centrale; si veda al n. 4). Fu opera assai apprezzata in ogni tempo e lodata in versi dai poeti fabrianesi; secondo la tradizione, Raffaello si recò appositamente in Val di Sasso per ammirarla.

CUSPIDI

2. SAN GIOVANNI NEL DESERTO

tv 49×38

A sinistra, sopra il *San Gerolamo* (n. 7). Notevole, anche se forse non voluta, l'astrazione assorta del santo in preghiera, mentre il paese che lo circonda richiama la gentilezza cortese dei viridari della tradizione miniaturistica.

3. MARTIRIO DI SAN PIETRO

tv 49×38

A sinistra, sopra il *San Francesco* (n. 8). La scena non ha nulla di cruento; l'atteggiamento di san Pietro, martire domenicano, appare di dedizione assoluta alla volontà divina e neppure il carnefice riesce a sottrarsi a quell'aria di favola gentile che in questo riquadro aleggia dovunque, fin nel capriccio dei rossi calzoni. Gli edifici che si scorgono al di là del muro appartengono chiaramente alla tradizione architettonica del gotico italia-no, ancora fortemente legato alla tradizione giottesca; né di molto Gentile è progredito nella conquista prospettica.

4. LA CROCIFISSIONE

tv

Verosimilmente situata, in origine, nella cuspide centrale. Secondo A. Ricci (1834), fu venduta ad Ancona "a un greco con la memoria ms. autentica estratta dall'archivio di quel convento, onde provare l'originalità del quadro".

5. SAN TOMMASO D'AQUINO

tv 49×38

A destra, sopra il *San Domenico* (n. 11). Vi si nota un più intenso gusto del colore, specie nel rosseggiare dei mattoni — in contrasto con il prato smeraldino, prezioso di erbe e di fiori — e nel morbido grigio del saio francescano, spezzato volutamente dalla rossa macchia brillante del libro, aperto fra le mani del Santo.

6. SAN FRANCESCO RICEVE LE STIMMATE

tv 49×38

A destra, sopra la *Santa Maria Maddalena* (n. 10). Lo scenario rupestre della Verna assume i riflessi dorati del cielo specchiantesi sulle rocce nude, appena ingentilite da qualche cespuglio; anche qui comunque Gentile non intende rinunziare alla nota purpurea, concentrata nelle ali fiammeggianti del Cristo serafino.

REGISTRO PRINCIPALE

7. SAN GEROLAMO

tv 122×41

Primo scomparto, da sinistra.

8. SAN FRANCESCO

tv 122×41

Secondo scomparto, da sinistra.

9. INCORONAZIONE DELLA VERGINE CON L'ETERNO E ANGELI MUSICANTI

tv 178×79

Elemento centrale del polittico reca l'iscrizione in caratteri gotici: "GENTILIS DE FABRIANO PINXIT". In esso innegabili si rivelano i contatti con l'arte nordica, particolarmente lom-

1 [Tav. I-II]

86

2-11 [Tav. III-XII]

barda, più che adombrati nei volti della Vergine e del Cristo, nei panneggi calligrafici e insinuanti, ma soprattutto nel motivo dell'Eterno circondato dai cherubini, motivo frequente nella tradizione pittorica e miniaturistica di Lombardia. Di intenso effetto poetico l'arco degli angeli musicanti simili a cristalli purissimi sul fondo brillante dell'oro, squisito coronamento al cielo blu notte trapunto di stelle.

10. SAN DOMENICO

tv 122×41

Quarto scomparto, da sinistra.

11. SANTA MARIA MADDALENA

tv 122×41

Quinto scomparto, da sinistra. È una delicatissima figura di donna che già partecipa delle grazie morbide del gotico internazionale. Fu tra le più ammirate dai contemporanei e in seguito da modesti poeti fabrianesi del Cinquecento; fra gli altri, Giovanni Andrea Gigli, che le dedicò un epigramma latino di cui si riporta la traduzione di Luigi Grassi (1953): "La Madre e le Grazie con la bellezza ci hanno donato la gloria / Iddio colmò i nostri petti col soffio divino: / Ma perché il tempo vorace e l'insidiosa vecchiezza / Ogni cosa travolgono per non giacere nella polvere / Che abbia dipinto meglio dello stesso Gentile la mia immagine".

12. SAN FRANCESCO RICEVE LE STIMMATE. ... (Italia), pro-pr. priv.

tv 87×62

Originariamente a Fabriano, passò poi in proprietà di Giovanni Fornari a Roma, dove si trovava ancora nel 1927; ritornò quindi a Fabriano, presso un istituto bancario cittadino e solo dopo l'ultima guerra passò all'attuale sede. Databile quasi con certezza al primo de-

cennio del Quattrocento, subito dopo il polittico di Valle Romita (n. 2-11), rispetto al quale denota evidenti progressi, in particolare nell'interpretazione luministica. Con straordinario anticipo, Gentile crea infatti l'ombra gettata sull'erba, che solo in seguito farà la sua apparizione nel mondo miniaturistico francese. Nessuno scritto meglio dei *Fioretti* può valere da commento a questa stupenda opera che dei *Fioretti* stessi può essere considerata una sorta di traduzione figurativa: "E istando così e infiammandosi in queste contempolazioni [...] e' vide venire dal cielo un Serafino con sull'alie risplendenti e affocate il quale Serafino con veloce volare appressandosi a Santo Francesco [...]". All'opera in esame si riferiscono presumibilmente le note del pittore fabrianese Vincenzo Liberati, contenute in un suo manoscritto del 1827 dedicato appunto a Gentile: "Due quadri da cavalletto [di Gentile] esistono presso questo nostro V. Seminario, raffiguranti l'uno la *Coronazione di Maria Vergine* [con ogni probabilità la tavola di cui al n. 22] e l'altro *San Francesco che riceve le stimmate*; questi sono in fondo d'oro, d'un lavoro eccellente: tali quadri furono ceduti in dono dai P.P. Francescani ai P.P. Filippini, ed ora, soppressi questi, sono passati in dominio del V. Seminario".

13. MADONNA CON IL BAMBINO E ANGELI MUSICANTI. Perugia, Galleria Nazionale dell'Umbria

tv 115×64

Sul cartiglio musicale tra le mani degli angeli, in basso, la scritta: "REGINA COELI LETARE ALLELUJA"; sull'aureola della Vergine: "AVE MARIA GRATIA PLENA DOMINUS TECUM". Databile con ogni probabilità nel primo decennio del Quattrocento, forse subito prima della partenza di Gentile per Venezia (si veda *Documentazione*, 1408), costituiva verosimilmente il pannello centrale di un polittico eseguito per la chiesa perugina di San Domenico. Probabilmente subito dopo avere eseguito quest'opera in Umbria, Gentile si recò a Venezia. Risultano evidenti tratti comuni con il polittico di Brera (n. 2-11), anche se, per quanto è possibile leggervi allo stato attuale essendo l'opera assai restaurata, appaiono altresì visibili elementi di una maggiore scioltezza e disinvoltura specie negli angeli ai piedi del trono. D'altra parte, vi si leggono anche talune notazioni naturalistiche che fanno di Gentile il timido precursore di un altro marchigiano, Carlo Crivelli, il quale, cinquant'anni più tardi, arricchirà fastosamente di frutti e di fiori gli ambienti delle sue celebri *Madonne*. È pur vero che senza la conoscenza di opere per sempre perdute come gli affreschi di Venezia e di Brescia, è impossibile localizzare con sicurezza dette opere, che invariabilmente si è costretti a considerare anteriori al soggiorno veneziano (Longhi, "CA" 1940). L'arco mistilineo, di gusto arabeggiante, che conclude la tavola è presumibilmente il risultato di un rimaneggiamento posteriore.

Ricostruzione grafica del Polittico di Valle Romita *(n. 2-11).*

**14. MADONNA CON IL BAM-
BINO E DUE ANGELI. Tulsa
(Oklahoma), Philbrook Art Cen-
ter (Kress)**

tv 61×46 c.

Sembra che originariamente
fosse a Belluno, forse proveniente da Venezia; acquistata
da Samuel Kress, con la cui
collezione passò all'attuale sede. La provenienza e certi cal-
ligrafismi del fondo e del manto giustificano una probabile
datazione intorno al 1410, sicuramente nei primi anni del
soggiorno veneziano (si veda
Documentazione, 1408), quando
sul pittore sembra avere una
certa presa lo splendido mondo immobile della pittura lagunare. La convincente attribuzione al giovane Gentile si deve al Longhi ("CA" 1940). La
pittura è assai abrasa e, purtroppo, in alcune parti mala-
mente ridipinta. Indubbiamente falsato è il Bambino che
non ha più niente delle grazie
morbide degli altri piccoli Gesù
dipinti dal maestro, ma presenta piuttosto l'aspetto sgradevo-
le di un fanciullo immoto.

15. ANCONA

Eseguita nel 1408 a Venezia per
conto di Francesco Amadi, e
pagata assai più di un'opera
analoga di Niccolò di Pietro.
A essa fa forse riferimento il
documento relativo a una pittura fatta eseguire da un Francesco di Giovanni Amidei, da
collocarsi al modo veneziano,
in un angolo della calle "over
canton", di una casa confinan-
te con la sua (Paoletti, *L'archi-
tettura e la scultura del Rinascimento in Venezia*, 1892).

16 a, b. DUE RITRATTI

Eseguiti durante il soggiorno
veneziano per messer Antonio
Pasqualino (si veda *Documentazione*, 1409); citati da Marcan-
tonio Michiel (*Le notizie d'opere del disegno*, 1800): "La testa
par al naturale ritratta da un
uomo grosser, con un cappuz-
zo in capo, e mantello nero, in
profilo [...] fu de man de Gentil
da Fabriano [...] insieme con
la infrascritta testa; zoè un ritratto d'uno giovine in abito da
chierico, con li capelli corti sopra le orecchie, con el busto
fin al cinto, vestito di vesta
chiusa, poco faldata, di color
quasi bigio, con un panno a uso
di stola negra, frappata sopra
el collo, che discende giuso,
con le maniche larghissime alle spalle, e strettissime alle
mani, di mano dello stesso
Gentile [...] par che si somi-
glino in le tinte delle carni.
Ma al mio giudizio questa con-
venienza delle tinte proviene
dalla maniera del maestro, che
facea tutte le carni simili tra loro, e che tiravano al color pal-
lido. Sono però detti ritratti
molto vivaci e sopra tutto fini-
ti, e hanno un lustro come se
fussero a oglio, e sono opere
lodevoli".

**17. BATTAGLIA NAVALE TRA
I VENEZIANI E OTTONE III.
Già Venezia, Palazzo Ducale**

Eseguita per la sala del Maggior consiglio e il Facio (1455-
56) la citò con parole assai
ammirative (si veda *Documentazione*, 1409). L'opera venne
distrutta dall'incendio del 1577.

18. LA TEMPESTA

Eseguita a Venezia, raffigura-

12 [Tav. XIII]

va il "turbine che schiantava
alberi e ogni altra cosa, con
tanta verità da incutere terrore
e spavento ai riguardanti" (Facio, 1455-56). Non se ne conosce né il committente, né la
ubicazione.

**19. AFFRESCHI PER LA CAP-
PELLA DEL BROLETTO IN
BRESCIA**

13 [Tav. XV]

Furono una importante commissione di Pandolfo Malatesta, signore della città, e Gentile vi
lavorò assiduamente dal 1414 al
1417, secondo i numerosi documenti a essi relativi (si veda
Documentazione, 1414). Opere
assai celebri e ammirate dai
contemporanei. Non se ne conoscono neppure i soggetti.

**20. MADONNA CON IL BAM-
BINO. Pisa, Museo Civico**

tv 41×36

La scritta in caratteri arabi sul
manto della Vergine: "LA ILLAHI
ILA ALLAH" ("Non c'è altra divi-
nità all'infuori di Dio"), è un
versetto del Corano e può forni-
re l'indicazione di una certa
cultura acquisita da Gentile,
volto a interessi intellettuali e
di gusto, come stanno a testimoniare anche quelle "sculpti-
lia et pictilia" che egli teneva
presso di sé nel suo domicilio
fiorentino (si veda *Documentazione*, 1423). Leggendo la scritta da destra a sinistra E. Teza
("AP" 1907) credette di scorger-
vi le parole "FABRI. GEN.".
Sull'aureola della Madonna si
legge chiaramente: "AVE MA-
RIA". Pervenne alla sede odier-
na dalla Pia Casa della Miseri-
cordia, ma se ne ignorano sia
la primitiva ubicazione, sia le
precedenti provenienze. Questa
tenerissima opera, dove tutto,
dalle forme ai colori, dall'atteggiamento di Maria alle grazie
del Bambino, appare morbido e
delicato, è fortemente legata alla tradizione gotico-internazionale delle 'Madonne in umiltà',
e appartiene, con ogni probabilità, al periodo bresciano di
Gentile, ed è quindi databile intorno al 1415-16 (si veda
Documentazione), anche se
parte della critica la ritiene del
tempo fiorentino. In effetti, nelle opere sicuramente eseguite
a Firenze, il pittore rivela già
la conoscenza dell'ambiente artistico locale e delle sue novità, mentre qui predomina un
senso di squisitezza e preziosità infinite, quali solo il mondo
cosmopolitano e cortese sapeva intuire ed esprimere. Si veda anche al n. 63.

**21. MADONNA CON IL BAM-
BINO E ANGELI MUSICANTI.
New York, Metropolitan Mu-
seum of Art**

tv 86×56

Già in collezione Davies. Ripete, ampliandolo, il tema della
Madonna di Perugia (n. 13), della quale riprende, in forme più
monumentali, il viridario e il
trono, dai cui pilastrini già
escono teneri fiori variopinti,
un motivo che anticipa la ricca serra che fra poco incorni-
cerà la grande pala dell'*Adorazione dei Magi* di Santa Trinita (n. 26-29). Forse proprio per
questo si è tentati di datare
l'opera nei primissimi tempi
del soggiorno fiorentino del pittore, che tuttavia appare (per
quanto è possibile desumere
dalle attuali condizioni dell'o-
pera, estesamente rovinata e
restaurata) ancora tenacemen-
te legato alla più ortodossa
ambientazione lombarda, ribadi-
ta durante il soggiorno bresciano.

**22. INCORONAZIONE DELLA
VERGINE. Parigi, propr. priv.**

tv 85×62

In origine faceva probabilmente parte di un politico ben presto smembrato. Quasi certamente inoltre il dipinto venne
tagliato in alto, poiché la colomba dello Spirito Santo doveva avere al di sopra uno spazio più ampio, se non addirittura il Padre Eterno circondato
da cherubini, secondo l'icono-
grafia corrente che in Gentile si
ritrova anche nell'*Incoronazione* di Valle Romita (n. 9). Probabilmente identificabile con la
"Coronazione di Maria Vergine"
ricordata nel 1827 dal pittore fabrianese Vincenzo Liberati, nel
Seminario di Fabriano, insieme

14 [Tav. XIV]

87

20 [Tav. XVII-XVIII]

21 [Tav. XVI]

22 [Tav. XLVI]

con il *San Francesco riceve le stimmate* (n. 12; si veda), unitamente al quale doveva costituire la *double face*, di tipo processionale, come ebbe a supporre il Cavalcaselle (1864): "Era originariamente la parte davanti di uno stendardo; su quella di dietro, si vedeva san Francesco in atto di ricevere le stimmate, simile di forma e di grandezza [con ogni probabilità l'*Incoronazione* venne rimpicciolita proprio per adeguarla alle *Stimmate*]. Questa parte è parimenti conservata in casa Morichi, ma porta la scritta: 'Ano dni 1452 die 25 de Martio'". La tavola rimase nella raccolta Fornari fino al 1897, come testimonia uno scritto del Marcoaldi (*Sui quadri raccolti da R. Fornari*, Fabriano 1897); succes-

sivamente passò all'attuale sede. Eseguita a Fabriano, durante il soggiorno del pittore, proveniente da Firenze, con ogni probabilità subito prima dell'*Adorazione dei Magi* (n. 26-29). Sembrano ancora riflettere il mondo dorato delle corti del Nord, l'esuberanza decorativa delle stoffe fiorite e rabescate e la delicatezza degli angeli reggi-cartiglio (notevolmente più piccoli delle figure centrali) e dei fiori, simili a quelli che, fra poco, sbocceranno dalla cornice della grande *Adorazione degli Uffizi*. È innegabile peraltro che il periodo fiorentino, presumibilmente racchiuso tra il 1422 e il 1425, è quello più fastoso e splendido dell'arte di Gentile, sì che appare giustificata l'allettante ipotesi, avan-

zata dal Longhi ("PI" 1928), secondo cui il *San Michele* Stoclet (n. 25) costituirebbe uno dei pannelli del presunto polittico, cui andrebbe riferita anche la tavola in argomento. Si veda anche al n. 68.

23. SAN PAOLO. Firenze, Collezione Berenson

tv 23×15

Sul rovescio l'iscrizione secentesca: "Gentile da Fabriano pinxit - fragmento che era nella cappella overo [...] sepoltura di Casa Sancti [Sandrei? Sassetti?] nelle [?] oreficerie [?] Anno 1610 di altra mano cioè dalla parte [della panca] della palla [?] con certi intagli all'antica, i quali da' tarli erano condotti per la lunghezza del tempo". Sulla traccia del Berenson (1936), B. Degenhart ("AV" 1956) ritiene l'opera in esame, con il *San Pietro* pure a Firenze (n. 24), avvicinabile al naturalismo del Pisanello; è però convincente l'attribuzione a Gentile da Fabriano e alla sua poetica (Volpe, "P" 1958); né, d'altra parte, vi è ragione per non ritenere autentica la scritta sopra citata, purtroppo assai male decifrabile. Il nome Sancti o Sandrei, poi, appare molto vicino a Rosei, casato della famiglia fabrianese presso la quale, fino al 1901, era ubicato il polittico di Valle Romita, ora a Brera (si veda ai n. 2-11). Accettando per valida la paternità di Gentile per i due *Santi* dovrebbe essere possibile stabilire, all'incirca, a quale tempo della sua attività appartengano. Sia il *San Paolo*, tutto panneggio, in elegante torsione, sia il patetico *San Pietro*, dall'aria ispirata, possono essere ascritti al periodo più felice dell'attività di Gentile, tra il polittico di Valle Romita (n. 2-11) e quello tardo-fiorentino della cappella Quaratesi (n. 31-40). Più probabilmente, per certe identità formali, disegnative e cromatiche, potrebbero appartenere proprio al polittico di Brera, che, nella sua completezza, doveva essere una delle cose più splendide del

gotico internazionale italiano. A meno che non si voglia, e l'ipotesi è allettante, vedere questi due piccoli santi legati all'*Incoronazione* di Parigi (n. 22) insieme al *San Michele arcangelo* Stoclet (si veda al n. 25).

24. SAN PIETRO. Firenze, Collezione Berenson

tv 23×15

Si veda al n. 23.

25. SAN MICHELE ARCANGELO. Bruxelles, Stoclet

tv

Pubblicato dal Perkins ("RA" 1914) con attribuzione al senese Andrea di Bartolo, corretta poco dopo in Sassetta dal Van Marle (1927), concorde il Berenson ("D" 1930; 1936). Il Longhi ("PI" 1928) rivendicò l'opera a Gentile, portando in favore della sua tesi ragioni assai convincenti, mentre il Brandi (1949) la riferì ad Antonio Alberti, pittore attivo a Ferrara intorno a quegli stessi anni, la cui unica opera certa è un grande polittico conservato nella Pinacoteca Nazionale delle Marche, a Urbino. Presente a Ferrara e, in genere, in Emilia nel secondo decennio del Quattrocento, l'Alberti appartiene al mondo gotico internazionale, ma non raggiunge mai il livello di Gentile, e appare ancora ben chiuso nelle tradizioni provinciali della sua regione. Il *San Michele* Stoclet è invece creatura lieve, irreale, splendente, imparentabile allo stupendo angelo annunziante dell'*Adorazione* (n. 26). Il Grassi (1953), non escludendo del tutto l'attribuzione a Gentile, ipotizzò il nome di Gualtieri di Giovanni, un pittore senese del primo Quattrocento. L'attento esame di questo fulgido guerriero del cielo, che di guerresco ha ben poco, ma che appare piuttosto uno splendido fiore di serra, invoglia chi scrive a ritenerlo opera autografa di Gentile per evidenti analogie con il giovane re dell'*Adorazione* di Santa Trinita (n. 26) e sempre nell'ambito dell'attività fiorentina, quasi a

preparare l'esecuzione, in un momento appena precedente, quando l'artista doveva sentirsi ancora fortemente legato alla tradizione pittorica del Nord. Sarebbe persino lecito supporlo parte dell'*Incoronazione* di cui al n. 22 (si veda), cui potrebbero riconnettersi, in un tentativo di parziale ricostruzione di uno scomparso polittico, anche i due *Santi* della fondazione Berenson (Volpe, "P" 1958; si veda ai n. 23 e 24).

Pala dell'Adorazione dei Magi

Dipinta per commissione di Palla di Noferi Strozzi a ornamen-

23

24

25

26-29¹   [Tav. XIX-XXXIX A e XLII-XLV]

to della cappella di famiglia in Santa Trinita a Firenze dedicata ai Santi Onofrio e Niccolò (ora sagrestia), indubbiamente una delle cappelle gentilizie più famose del Quattrocento fiorentino, alla quale è legato il nome di Donatello che avrebbe collaborato con Pietro Lamberti alla tomba di Noferi Strozzi, padre di Palla (Lisner, "JBK" 1958): nel sottarco della suddet-

ta tomba forse proprio Gentile eseguì gli affreschi con grandi fiori (si veda al n. 30). Sull'altare della cappella l'*Adorazione* rimase anche dopo il 1698, quando l'ambiente fu adibito a sagrestia della chiesa; nel 1810, regnando Napoleone e in seguito alla confisca dei beni ecclesiastici, fu trasferita nel deposito della Galleria d'Arte Antica e Moderna; la pala passò

agli Uffizi nel 1919, ma priva di uno scomparto della predella, asportato dai francesi (n. 29). L'opera venne eseguita nel 1423, come risulta dalla scritta apposta dal pittore (si veda al n. 26) e da vari documenti: nel mese di giugno, infatti, il nome di Gentile è menzionato nei registri di pagamento, evidentemente a esecuzione avvenuta (si veda *Documentazione*, 1423).

29   [Tav. XXXIX B e XL-XLI]

31 [Tav. LII A]   32 [Tav. LII B e LIV-LV]   33 [Tav. LI]   34 [Tav. LIII A]   35 [Tav. LIII B]

36 [Tav. LVI]   37 [Tav. LVII]   38 [Tav. LX]   39 [Tav. LVIII]   40 [Tav. LIX]

26. ADORAZIONE DEI MAGI. Firenze, Uffizi

tv 173×220 f d 1423

Firmata e datata in caratteri gotici: "OPUS GENTILIS DE FABRIANO MCCCCXXIII MENSIS MAIJ". Nelle cuspidi sono tre tondi sovrastati da un cherubino e fiancheggiati da due profeti: in corrispondenza della lunetta di sinistra sono raffigurati un angelo annunciante e, ai lati, Ezechiele e Michea; al centro, Cristo giudice, con Mosè e David; a destra, la Vergine annunciata, con Baruch e Isaia. Inserti con motivi floreali completano la decorazione della ricca cornice. È da considerarsi l'opera capitale del soggiorno fiorentino del pittore e, senza dubbio, la più importante della sua produzione, dopo la scomparsa degli affreschi di Venezia e di Brescia (n. 17-19). Il tema stesso, l'Adorazione del Bambino, non è che un pretesto per abbandonarsi alla fantasia del lungo corteo, che, nell'intrecciarsi degli episodi e nello svilupparsi del cammino, sembra davvero senza fine. Il profilo stesso della tavola, culminante in tre lunette, ci dà la possibilità di scomporre e di ripartire l'opera in tempi e luoghi diversi, secondo lo svolgimento delle vicende, dallo sbarco dei re Magi fino alla capanna di Betlemme.

27. NATIVITÀ. Firenze, Uffizi

tv 25×62

Primo scomparto da sinistra della predella.

28. FUGA IN EGITTO. Firenze, Uffizi

tv 25×88

Scomparto centrale della predella.

29. PRESENTAZIONE AL TEMPIO. Parigi, Louvre

tv 25×62

Costituiva in origine il pannello destro della predella; fu trasferita in Francia nel periodo napoleonico, pare dal maresciallo Dupont. Nella pala agli Uffizi lo scomparto è sostituito da una copia fedele (n. 29¹), qui riprodotta nelle foto d'assieme, eseguita e donata dal pittore Della Bruna.

30. FREGIO CON DECORAZIONE FLOREALE. Firenze, chiesa di Santa Trinita

Nel sottarco che sovrasta la bella tomba di Noferi Strozzi (si veda ai n. 26-29), padre di Palla, deceduto nel 1417, sono affrescati, su fondo rossastro (colore dovuto con ogni probabilità alla caduta del pigmento primitivo, verosimilmente azzurro), alcuni fiori bianchi: gigli o gigli acquatici, dai lunghi e fragili steli verdi.

Nessuna notizia storica o documentaria attesta l'attribuzione di questa raffinata decorazione a Gentile da Fabriano, né fino ad ora, crediamo, essa è stata mai proposta. Tuttavia la sua ubicazione nella ex-cappella Strozzi, sulla tomba di quel Noferi Strozzi, in onore del quale il figlio Palla aveva fatto eseguire l'Adorazione dei Magi, ora agli Uffizi (n. 26-29), induce chi scrive a prospettare l'ipotesi che il maestro di Fabriano sia l'autore di questa fantasia floreale, del resto rispondente in tutto al suo gusto e al suo stile. La tecnica diversa e la necessità di dipingere una superficie più vasta, possono giustificare alcune evidenti differenze fra questi grandi fiori e quelli contemporanei eseguiti da Gentile sui pilastrini della cornice dell'Adorazione, (n. 26) ma la ricerca di verità naturalistica, certo del tutto superficiale, è la medesima; è facile infatti ritrovare in questi gigli dai morbidi steli flessuosi, condotti con precisione e delicatezza, quel gusto realistico forse involontario, ma indubbiamente 'moderno', da pittore di natura morta, componente fondamentale della personalità artistica di Gentile da Fabriano.

Polittico Quaratesi

Nel mese di maggio del 1425, in Firenze, Gentile da Fabriano firmava il polittico commissionatogli dalla famiglia Quaratesi, e destinato all'altare della Cappella Maggiore nella chiesa di San Niccolò sopr'Arno. Co-

30

sì il Richa (*Chiese fiorentine*) trascriveva l'iscrizione poi scomparsa: "OPUS GENTILIS DE FABRIANO MCCCCXXV MENSE MAI". Nel 1836 il polittico era ormai smembrato; si indica, qui di seguito, la ricostruzione nell'assetto originario.

REGISTRO PRINCIPALE

31. SANTA MARIA MADDALENA. Firenze, Uffizi

tv 200×60 c.

Primo pannello, da sinistra. Nella cuspide, un angelo entro un clipeo affiancato da altri due. Donato alla galleria fiorentina nel 1863, insieme con i n. 32, 34, 35, dal marchese Niccolò Quaratesi. Si veda anche al n. 32.

32. SAN NICOLA DI BARI. Firenze, Uffizi

tv 200×60 c.

Secondo pannello, da sinistra. Nella cuspide, santo monaco in un clipeo fra due angeli. Si notano, così come nella *Maddalena* (n. 31) e nel *San Giovanni* (n. 34), evidenti influssi dell'arte fiorentina di Masolino e degli ultimi grandi scultori precedenti Donatello, in particolare nelle piccole 'storie' di Cristo dipinte a finto ricamo nella stola di san Nicola, e condotte con rapida ed efficace immediatezza. Si veda anche al n. 31.

33. MADONNA CON IL BAMBINO E ANGELI. Hampton Court (Middlesex), collezioni reali

tv 200×75 c.

Elemento centrale del polittico. Nella cuspide, in un tondo sorretto da due angeli e sormontato da un serafino, il busto del Cristo benedicente. Acquistato a Firenze da Sir Young Ottley e portato in Inghilterra, nel 1846 fu rivenduto da uno di questi, Warner, al principe Alberto, entrando così a far parte della raccolta reale di Buckingham Palace; dal 1919 conservata alla sede attuale. Nonostante lo stupendo, ricchissimo fondo a fiori dorati, questa dolcissima immagine della Vergine, certo una delle più aristocratiche dipinte da Gentile, rivela evidenti legami con il mondo artistico fiorentino contemporaneo, quello degli ultimi maestri gotizzeggianti, già sfiorati dalle novità masaccesche, Masolino in pittura, Nanni di Banco e Lorenzo Ghiberti nella scultura. Il disporsi delle figure nello spazio, sopra il basso gradino arretrato, fra le ali degli angeli adoranti, è decisamente una voluta meditazione sulla prospettiva fiorentina, proposta da Masaccio e ormai in via di sicura e assoluta acquisizione.

34. SAN GIOVANNI BATTISTA. Firenze, Uffizi

tv 200×60 c.

Quarto pannello, da sinistra. Nella cuspide, santo monaco entro un tondo sorretto e sormontato da angeli. Si veda anche ai n. 31 e 32.

35. SAN GIORGIO. Firenze, Uffizi

tv 200×60 c.

Quinto pannello, da sinistra. Nella cuspide, quattro angeli,

di cui uno entro un clipeo. Vi si giustifica, forse per il soggetto cavalleresco, un ritorno quasi nostalgico al mondo cortese di tradizione lombarda, se non addirittura d'Oltralpe, anche se nella posa del santo trapela una non raggiunta padronanza prospettica dello spazio che è ancora, e definitivamente, un infinito fondo d'oro.

PREDELLA

Nei cinque pannelli della predella, dedicati ad altrettanti episodi della vita di san Nicola di Bari, è possibile cogliere, in compendio, l'intero *iter* pittorico del maestro, dalla lontana eco gotico-internazionale fino alle più recenti esperienze artistiche fiorentine.

36. NASCITA DI SAN NICOLA. Roma, Pinacoteca Vaticana

tv 36×36

Come i n. 37-39, fu ritenuto a lungo opera di Masaccio (Schmarsow, *Masaccio Studien*, 1895-99; "A" 1907). Per primo Sirén ("A" 1906) intuì che le quattro tavolette dovevano essere pertinenti al polittico Quaratesi e costituirne la predella, della quale fino a quel momento si era perduta ogni traccia. Il Perkins ("RA" 1906) pensò, per i pannelli di Roma, a un maestro molto vicino a Gentile, opinione accolta dal Colasanti (1909), che peraltro assegnava direttamente a Gentile il *San Nicola placa il fortunale in mare* (n. 38).

37. SAN NICOLA DONA TRE PALLE D'ORO ALLE TRE FANCIULLE POVERE. Roma, Pinacoteca Vaticana

tv 36×36

Si veda al n. 36.

38. SAN NICOLA PLACA IL FORTUNALE IN MARE. Roma, Pinacoteca Vaticana

tv 30×62

Si veda al n. 36. Il raffronto stilistico con gli altri pannelli conferma la paternità del medesimo autore, con ogni evidenza Gentile da Fabriano.

39. SAN NICOLA RESUSCITA TRE FANCIULLI. Roma, Pinacoteca Vaticana

tv 37×37

Si veda al n. 36.

40. INFERMI E PELLEGRINI ALLA TOMBA DI SAN NICOLA. Washington, National Gallery of Art (Kress)

tv 35×36

Identificato come opera di Gentile pertinente alla predella del polittico Quaratesi, venne pubblicato da W. Suida ("AQ" 1940) e R. Longhi ("CA" 1940).

41. MADONNA CON IL BAMBINO E I SANTI LORENZO E GIULIANO. New York, Frick Collection

tv 91×47

Sulla cornice, in gran parte originale, sembra riconoscibile il nome del pittore. Per oltre cinque secoli l'opera rimase completamente sconosciuta alla critica; né esistono documenti o notizie relativi alla sua esecu-

zione e allogagione, anche se la presenza dei due santi ha fatto supporre la primitiva destinazione a una chiesa del contado fiorentino, per esempio San Lorenzo o San Giuliano a Settimo. Nel 1846 una lettera d'archivio ne rivelava la presenza a Firenze; acquistata dal duca di Broglie nel 1850 circa, è passata recentemente per acquisto alla sede attuale. Pubblicata da Sterling ("P" 1958), quando si trovava ancora nel castello di Broglie. L'eccellente qualità pittorica, certe dolcezze stilistiche, il disegno e il colore raffinatissimi usati con grande sicurezza, la pongono di diritto fra le migliori opere di Gentile, verosimilmente eseguita nel momento di piena maturità del maestro, cioè nel periodo fiorentino (si veda *Documentazione* 1425). L'artista non abbandona il proprio mondo fastoso e sognante, né la predilezione per certa ricchezza esteriore; tuttavia, già sulla traccia delle novità fiorentine, maggiormente concede alla

realtà espressiva dei due santi inginocchiati, le cui effigi sono veri e propri ritratti, dotati di una penetrante caratterizzazione psicologica. Inoltre, appaiono dichiaratamente fiorentini la severa monumentalità della composizione e il plastico modellato dei volti. E fiorentinissimi, o meglio, assai cari alla devozione locale erano sia san Lorenzo, patrono dei fornai, sia san Giuliano, patrono degli albergatori della città (non a caso, com'è stato osservato, nella seconda metà del secolo i due fratelli Medici si chiameranno appunto Lorenzo e Giuliano). Da Siena per contro sembrano qui riaffiorare certi raffinati goticismi e le linee rabescate, in una sorta di rinnovata meditazione sull'arte di Simone Martini. Ma il gioco leggiadro del Bambino che trattiene, legata alla manina con un filo sottile, la colomba trasformata in gaio uccellino, è motivo frequente nell'arte gotica del Nord, dai tempi del Guariento e di Paolo Veneziano, via via fino a Ste-

fano da Zevio e a Pisanello. Ancora una volta dunque, Gentile, quasi in un ripensamento del proprio passato, sembra riassumere gran parte delle sue esperienze di artista raggiungendo un lirismo discreto e una gravità eccezionale, intonati a una poetica da racconti di fate, concepita in genere per i sogni e per il godimento di una società provilegiata. Lo stato di conservazione è molto buono.

42. MADONNA FRA SANTI E LA PIETÀ CON DUE ANGELI

tv

Eseguita da Gentile tra il 1425 e il 1426 per l'ufficio "de' Banchetti" nel Pubblico Foro, l'opera era conosciuta come la 'Madonna de' notai' (Tizio, 1425). I Santi ai lati della Vergine erano: il Battista, Paolo e Cristoforo. La *Pietà* era dipinta in un tondo in basso.

43. MADONNA CON IL BAMBINO. Washington, National Gallery of Art (Kress)

tv 96×57

Se ne ignorano sia l'ubicazione originaria sia il nome del committente. Nel 1874 era in collezione Barker a Londra; poco dopo passava in proprietà E. J. Sartoris a Parigi e nel 1919 veniva esposta al Musée des Arts Decoratifs. In tale occasione fu vista da A. Venturi che l'assegnò con sicurezza a Gentile (*Storia dell'Arte*, 1928), attribuzione unanimemente accolta dalla critica; fu quindi pubblicata da A. Colasanti ("BA" 1911); acquistata da Henry Goldman, nel 1921 venne esposta al Metropolitan Museum di New York, quindi, attraverso un lascito Kress, pervenne alla sede attuale. Opera tra le più significative del pittore, è databile intorno al 1425, nel periodo fiorentino. Non v'è dubbio infatti che la chiara impostazione della figu-

41 [Tav. IL]

43 [Tav. XLVII-XLVIII]

44 [Tav. LXI]

ra nello spazio dorato si lega a quei timidi sentori di ricerca prospettica, che Gentile poteva sfiorare, ma, ancora una volta, senza distaccarsi dal mondo affascinante dei suoi colori, delle sue stoffe sontuose e della sua delicatezza, particolarmente palesi nel velo trasparente che carezza il volto sereno della Vergine. Meglio che altrove, vi si può forse notare un cosciente richiamo alle dorate atmosfere di Siena, anche nel rinnovato dialogo di sguardi e di teneri affetti che ha le sue prime radici appunto nell'arte di Pietro e di Ambrogio Lorenzetti e, soprattutto, di Simone Martini.

45 [Tav. L]

44. ANNUNCIAZIONE. Roma, Pinacoteca Vaticana

tv 41×49

Databile intorno al 1425, quindi nel periodo fiorentino, l'opera appare del resto chiaramente ispirata al celebre affresco della Basilica fiorentina dedicato appunto alla Vergine Annunziata. Rivendicata a Gentile dal Longhi, che la rinvenne nei depositi della Pinacoteca Vaticana, assai mal ridotta ("CA" 1940), in seguito fu pubblicata dal Grassi (1953). È indubbio che l'estrema finezza della condotta pittorica, attenta anche agli elementi secondari della composizione, come la bionda dolcezza della giovane Vergine in estasi e dell'angelo delicato dalle vesti mosse e sgarzianti, sia motivo sufficiente a suffragare l'attribuzione al maestro, in un momento particolarmente felice della sua attività.

45. MADONNA CON IL BAMBINO. Firenze, collezione Berenson

tv 25×19

Il frammento, purtroppo assai rovinato, appare nondimeno prossimo alla *Madonna* di Washington (n. 43), della quale riprende le morbide forme e le eleganti rabescature del velo. Risulta perciò agevole la datazione, che non può allontanarsi molto dal 1425. Al pari del n. 44, la tavola costituisce la testimonianza del largo favore cui l'opera di Gentile andò incontro a Firenze, anche se egli rimase un isolato nell'ambiente artistico cittadino; indubbiamente l'*Adorazione dei Magi* (n. 26-29), già terminata ed esposta nella cappella Strozzi di Santa Trinita, era stata, ed era tuttora, oggetto di ammirazione da parte della ricca borghesia fiorentina, qualche membro della quale commissionò al maestro presumibilmente prima della sua partenza dalla città, l'opera in esame e forse altre oggi scomparse.

46. MADONNA CON IL BAMBINO. New Haven (Connecticut), Yale University Art Gallery (Jarves)

tv 90×63

In basso a sinistra, la firma mutila: "Gent... Fabriano", che ha fatto supporre una decurtazione ai lati e probabilmente anche nella parte inferiore. Acquistata da James Jackson Jarves a Firenze, fu pubblicata dal Rankin ("AJA" 1895) e in seguito generalmente accolta nella produzione autografa del maestro. La solidità delle forme e l'impianto delle figure giustificano una datazione intorno al 1425, ed è quindi probabile che sia stata eseguita anch'essa nel periodo fiorentino. Nell'insieme è possibile ritrovare una certa familiarità con i modi di Masolino, specialmente negli incarnati morbidi e pieni, mentre l'inquadratura entro una sorta di cornice architettonica rivela ingenue ambizioni prospettiche. Il Bambino con il suo tenero e vivace tentativo di fuga dall'asse centrale, è assai simile a quello dell'affresco orvietano (n. 47); ritorna, ancora una volta, il motivo dei fiori,

50¹

in questo caso delicate rose e, parrebbe, papaveri: quasi un *leit-motiv* della pittura di Gentile destinato a ripresentarsi, fra non molto, con ben diversa e più solida consistenza pittorica, nelle siepi che fanno da sfondo ai più celebri ritratti del Pisanello.

47. MADONNA CON IL BAMBINO. Orvieto, Duomo

af 225×125

La figura della santa Caterina a destra, dipinta a olio in epoca assai più tarda, denuncia la sua probabile appartenenza a un anonimo maestro manierista, di evidente derivazione baroccesca. L'affresco, come risulta dai pagamenti conservati negli archivi della cattedrale orvietana (si veda *Documentazione*, 1425), venne eseguito da Gentile "subtiliter et decore pulchri-

tudinis", tra il mese di ottobre e i primi dieci giorni di dicembre del 1425. Successivo al soggiorno fiorentino, rivela forse più di ogni altra opera, quanto l'artista ricavò dalle esperienze rinascimentali nell'innegabile senso di maggiore realtà e vivacità delle immagini. Unica superstite degli affreschi di Gentile, non ci può compensare della perdita di quelli di Venezia e di Brescia, nei quali, presumibilmente, il pittore si esprimeva in maniera assai diversa, legato certo fortemente alla tradizione gotica del Nord, nel rinnovarsi di già sognati e attuati contatti. Vi si può forse preavvertire, sia pure nelle ridotte dimensioni, la monumentale, solenne impostazione degli affreschi di San Giovanni in Laterano, quali ci sono suggeriti dal disegno borrominiano di Berlino (si veda al n. 50).

48. MADONNA CON IL BAMBINO. Velletri, Capitolo del Duomo

tv 119×73

Proviene dalla chiesa romana dei Santi Cosma e Damiano ed è l'unica testimonianza pittorica superstite dell'attività di Gentile a Roma: donata ai terziari di Velletri nel 1633 da padre Ludovico Ciotti. Risulta menzionata per la prima volta da Fra Bonaventura Theuli (*Teatro historico di Velletri*, 1644), che la indicava come opera arcaica, datata al 525 a causa di una falsa iscrizione menzionante il papato di Felice IV; appare quindi citata, in termini analoghi, da Alessandro Borgia (*Istoria della chiesa e città di Velletri*, 1723); successivamente, A. Tersenghi (*Velletri e le sue contrade*, 1910) vi individuava il dipinto di un artista attivo tra il XIV e il XV secolo; infine fu riconosciuta e pubblicata come opera di Gentile da L. Venturi ("BA" 1913) che ne mise in evidenza "la pittura rosea, smaltata delle carni, bionda dei capelli, rossa, azzurra e aurea dei drappi". Il tipo della Vergine si riallaccia a quello dell'Epifania fiorentina (n. 26-29) e a quelli di Pisa (n. 20), di Washington (n. 43) e della collezione Berenson (n. 45), mentre il Bambino ha la robustezza sana e vispa di quello orvietano (n. 47). Il maestro fabrianese resta evidentemente fedele, anche nell'ultimo tempo della sua attività, agli ideali stilistici della giovinezza, pur concedendo qualcosa a un certo realismo (si noti la particolare vivacità del Bambino). Il dipinto è molto rovinato: risulta infatti completamente mancante una larga zona di colore che dal collo della Madonna va sempre più allargandosi verso il basso, fino a occupare quasi per intero la metà destra. L'opera, comunque, è stata recentemente sottoposta a restauro.

49. PAPA MARTINO V CON DIECI CARDINALI

tv

Già a Roma nei Palazzi Vaticani. È citata dal Facio.

50. STORIA DEL BATTISTA E CINQUE PROFETI. Già Roma, basilica di san Giovanni in Laterano

af

Vi sono vari documenti ad essi relativi. Rimasti incompiuti per la morte di Gentile, furono portati a termine dal Pisanello (si veda "Classici dell'Arte . 56", n. 27). Ricordati dal Facio e dal Vasari e testimoniati da un disegno del Borromini eseguito prima del rifacimento della basilica avvenuto in epoca barocca (Berlino, Kunstbibliothek der Staatlichen Museen; si veda Cassirer, *Zu Borrominis Umbau der Lateransbasilika*, "JPK" 1921; foto 50¹). Si veda ai n. 47 e 66.

51. MADONNA CON IL BAMBINO E I SANTI GIUSEPPE E BENEDETTO

af

Eseguito sopra la tomba del cardinale Alemanno Adimari in Santa Francesca Romana a Roma. Ricordato dal Vasari.

46 [Tav. LXII]

47 [Tav. LXIII]

48 [Tav. LXIV]

Ulteriori opere attribuite

52. MADONNA CON IL BAMBINO. Ferrara, Pinacoteca Nazionale (Mendeghini Baldi)

tv

Nel museo è attribuita a Jacopo Bellini, ma per certi raffronti di tipo morelliano, non tanto con le *Madonne* più note di Gentile, quanto con alcune figure di contorno dell'*Adorazione dei Magi* fiorentina (n. 26), l'operetta potrebbe essere se non attribuita al maestro di Fabriano, almeno riferita a qualche timido pittore operante nella sua scia e nel suo ambiente.

Polittico di San Niccolò

Già nella chiesa di San Niccolò sopr'Arno a Firenze; si trova attualmente nei depositi della Soprintendenza. Attribuito a Gentile dal Cavalcaselle, che lo riteneva eseguito per la chiesa forse subito dopo il polittico Quaratesi (n. 31-40), pure in San Niccolò. Seriamente deteriorato e annerito nell'incendio che colpì la chiesa nel 1897, venne ripreso in esame da A. Graziani, ancora con riferimento a Gentile. L'attribuzione fu riproposta dal Longhi ("CA" 1940), ma solo indicativamente, dato il precario stato di conservazione dell'opera; come attribuzione, è registrata anche dal Grassi (1953). Berti ("BA" 1952) pubblica il polittico, ritenendolo sì nel gusto di Gentile, ma non autografo, poiché alcuni confronti con il polittico Quaratesi (i due vescovi, ad esempio) ne denuncerebbero una maniera assai più grossolana, quasi, talvolta, "miserella", sconosciuta, in ogni modo, sempre a Gentile, almeno nelle opere certe che di lui ci sono state conservate. Certi elementi, piuttosto, suggeriscono al Berti il riferimento a Francesco d'Antonio, un timido seguace toscano del gusto gotico internazionale che a Firenze, riflette appunto, notevolissime, le ascendenze gentilesche. Il dipinto ha subito ulteriori danni, anche se non gravissimi, dall'alluvione del 1966 ed è sempre più difficilmente leggibile. A seguito di una ricognizione su alcune opere alluvionate, A. Conti ("P" 1968) ha riaffacciato l'ipotesi di una attribuzione a Gentile, in un momento subito posteriore al polittico Quaratesi, cioè nel breve tratto di tempo che va dal maggio 1425, data del polittico, all'ottobre 1426, epoca della partenza del pittore per Siena. Forse un restauro completo dell'opera, del resto difficoltosissimo, avvierebbe la critica a una più esatta lettura. E, mentre si affaccia l'ipotesi affascinante di scoprire un nuovo dipinto di Gentile, anch'esso quasi fatalmente attribuibile al felice momento fiorentino, certe particolarità iconografiche, come *Il Salvatore e la Vergine nell'Empireo* (n. 55), ci riportano a una più lontana atmosfera legata ancora addirittura alla tradizione bizantina. Tuttavia, nello stesso tempo la *Resurrezione di Lazzaro* (n. 54), vuole forse echeggiare, in termini ancora fortemente arcaici, il battesimo dei neofiti che Masaccio, aveva in quel tempo già affrescato al Carmine.

53. SAN LUDOVICO DA TOLOSA

tv 65×22

Primo pannello da sinistra.

54. RESURREZIONE DI LAZZARO

tv 70×46

Secondo pannello da sinistra.

55. IL SALVATORE E LA VERGINE NELL'EMPIREO

tv 80×56

Tavola centrale.

56. INCONTRO DEI SANTI COSMA E DAMIANO CON SAN GIULIANO [?]

tv 71×60

Quarto scomparto da sinistra.

57. SAN BERNARDO DI CHIARAVALLE

tv 65×22

Quinto scomparto da sinistra.

---

58. MARTIRIO DI SAN PIETRO. Cambridge (Massachussets), Harvard University (Dumberton Oaks)

tv 55×46

Fu acquistato a Parigi dalla collezione d'Hendecourt. È stato probabilmente risegato nella parte superiore. Il Suida ("AQ" 1940) lo attribuì a Gentile, proponendone l'appartenenza al polittico di Valle Romita (n. 2-11). Vi si notano infatti chiari elementi di derivazione lombarda; tuttavia evidenti affinità con le 'storie' di santa Lucia del Museo Civico di Fermo, di Jacobello del Fiore, potrebbero giustificare una diversa attribuzione della piccola opera. È da ricordare quanto l'attività di Gentile a Venezia, purtroppo non testimoniata da opere autografe, avesse impressionato gli artisti lagunari, segnando tempi nuovi per la pittura veneziana.

59. SAN BENEDETTO EREMITA. Milano, Museo Poldi-Pezzoli

tv 105×60

Collegato da J. P. Richter, nel 1914, con le tre 'storie' di san Benedetto attualmente agli Uffizi (n. 60-62). I quattro dipinti, indubbiamente nell'ambito del gotico internazionale nel filone più vivo dell'Italia del Nord, hanno costituito un argomento assai dibattuto dalla critica. La tavola in esame, più delle altre, può giustificare l'attribuzione del Berenson (1936) a Gentile da Fabriano per alcune assonanze espressive del santo eremita, particolarmente con alcuni personaggi dell'*Adorazione dei Magi* (n. 26-29); ma nell'insieme il dipinto rientra assai più nella tematica nordica, riflessa particolarmente nell'opera di Niccolò di Pietro, attraverso particolari filoni boemi, del maestro di Wittingau ad esempio (Longhi, "CA" 1940), che si ritroveranno, poi, nel primo Pisanello, ancora fortemente legato al mondo pittorico transalpino. Certo non a caso, fu fatto per i tre dipinti degli Uffizi il nome del maestro Venceslao di Boemia (Fiocco, "BA" 1952) e quello del Pisanello (Degenhart, "AV" 1949; Chiarelli, *Pisanello*, "Classici dell'Arte - 56", n. 8-11). Ma più convincente è l'attribuzione di questa delicata opera a Niccolò di Pietro, suggerita dal Longhi ("CA" 1940; *Viatico per cinque secoli di pittura veneta*, 1946; che peraltro sembra poi [1958] riportarlo al Pisanello giovane) e concordemente accolta da Oreste Ferrari ("C" 1953) e dal Grassi (1953).

52

60. SAN BENEDETTO RISANA IL VASSOIO ROTTO. Firenze, Uffizi

tv 108×62,5

Già nella collezione Cannon di Fiesole, con i n. 61 e 62; le tre tavole, nella sede attuale dal 1937, vennero restaurate a cura della Soprintendenza alle Gallerie di Firenze; risultano comunque in cattivo stato di conservazione. Per ogni considerazione critica, si veda al n. 59.

61. SAN BENEDETTO ESORCIZZA IL MONACO TENTATO. Firenze, Uffizi

tv 111×66

Si veda ai n. 59 e 60.

62. SAN BENEDETTO BENEDICE IL VINO AVVELENATO. Firenze, Uffizi

tv 109×62

Come i due precedenti (si veda).

63. MADONNA CON IL BAMBINO. Milano, Museo Poldi-Pezzoli

tv 53×37

Proviene dalla raccolta Sherman di Venezia. Evidentissimi i legami con la bella *Madonna* di Gentile di cui al n. 20 (si veda), anche se il prototipo gentilesco appare tradotto da una mano meno raffinata e sicura, che interpreta con fare più casalingo le alte qualità del maestro. È certo opera di un seguace del fabrianese, probabil-

58

mente marchigiano (Grassi, 1953) che non riesce del tutto a sciogliersi dalla tradizione ormai remota di Francescuccio Ghissi e di Allegretto Nuzzi, pur sembrando indubbiamente di certi lombardismi alla Giovannino de' Grassi, peraltro scarsamente assimilati.

64. MADONNA CON IL BAMBINO TRA I SANTI FRANCESCO E CHIARA. Pavia, Pinacoteca Malaspina

tv 51×37

Se ne ignora la provenienza. L'opera, di delicata fattura, partecipa del gusto gotico cosmopolitano, particolarmente nel fare calligrafico e arrovellato dei panneggi. La tipologia delle figure, in sereno e pio atteggiamento, è quella comune ai maestri di questo momento, mentre ogni nozione prospettica sembra sconosciuta al pittore, che pone la Vergine come sospesa nel fondo d'oro e le dà proporzioni maggiori rispetto agli altri soggetti. La

59

60

61

62

tavola presenta legami con il mondo miniaturistico lombardo, al quale il giovane Gentile guarderà con grande interesse, ma per le forme più lievi e per certi arcaismi, non trova rispondenza nelle opere del fabrianese giunte sino a noi; d'altra parte non è mai stata ricordata dalla critica neppure fra le opere attribuite.

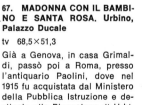

65

65. CROCIFISSO. Roma, Basilica di San Paolo fuori le Mura

af

Molto rovinato e per lo più ridipinto, è visibile nella Cappella dei Conversi. Fu attribuito a Gentile dal Lavagnino (1945), il quale portava a sostegno della propria ipotesi argomenti di un certo interesse, citando anche la copia secentesca di un documento, poi perduto, relativo a un debito di Gentile verso i frati di San Paolo: "Gentilis da Fabriano - Debiti confessio di

66

Gentilis ad favore Monasterii - lib. 25 - p. 62". Per quanto è possibile leggervi nelle attuali, precarie condizioni, si notano nell'affresco evidenti ricordi di modi fiorentini e segnatamente masolineschi, quali Gentile doveva aver portato con sé a Roma, dopo il lungo e proficuo soggiorno a Firenze.

66. RITRATTO DI CARLO MAGNO [?]. Roma, Pinacoteca Vaticana

af 59×47

Secondo un'informazione di Stefano Bottari, da un documento dell'archivio Vaticano rinvenuto e interpretato dal Volbach (si veda Grassi, 1953), il frammento proverrebbe da San Giovanni in Laterano, unico resto, forse, degli affreschi iniziati da Gentile da Fabriano, terminati dal Pisanello e scomparsi nel rifacimento borrominiano della basilica (si veda al n. 50). Il Berenson (1936) attribuì questo severo ritratto a Gentile. Tuttavia esso, appunto per la sua severità e per l'incisiva espressione coloristica, sembra più facilmente accostarsi alla maniera del Pisanello (Grassi, 1953). Del resto più che nel gusto di Gentile, rientra nella tematica del pittore veronese l'attenzione al personaggio storico, osservato con precisione quasi medaglistica e realizzato con forte caratterizzazione. Si veda anche "Classici dell'Arte - 56", n. 27.

67. MADONNA CON IL BAMBINO E SANTA ROSA. Urbino, Palazzo Ducale

tv 68,5×51,3

Già a Genova, in casa Grimaldi, passò poi a Roma, presso l'antiquario Paolini, dove nel 1915 fu acquistata dal Ministero della Pubblica Istruzione e destinata alla Pinacoteca di Urbino (Perkins, "A" 1915). La tavoletta, benché alterata da notevoli e, purtroppo, impudenti restauri, si dichiara apertamente di un anonimo seguace di Gentile, che senza alcun carattere unisce nell'esecuzione elementi lombardi e fiorentini.

68. INCORONAZIONE DELLA VERGINE. Vienna, Akademie der bildenden Künste

tv 84×61

Fu confusa a lungo con l'*Incoronazione* di Parigi (n. 22); si

veda) e talvolta in luogo di questa ritenuta la versione autografa; il Van Marle (1927) riduce i due dipinti a uno solo. Quasi con certezza il dipinto di Vienna è la copia che dal Seminario di Fabriano passò prima in casa Bufera, e in seguito in casa Morichi, dove lo vide il Cavalcaselle; pervenne poi forse in casa Fornari (insieme all'*Incoronazione* n. 22); successivamente fu in Inghilterra, nella Meuthen Gallery, Corsham Court (Londra); infine a Vienna; il principe di Liechtenstein la donò all'Accademia nel 1882. Il Grassi (1953), accettando precedenti opinioni (Liberati, manoscritto del 1827), ritiene l'*Incoronazione* di Vienna opera di Antonio da Fabriano:

"La fedeltà al prototipo di Gentile non ha impedito ad Antonio da Fabriano di manifestare palesemente nella copia, i propri modi figurativi. Basterà confrontare il Crocifisso di Matelica [...] o il trittico di San Clemente a Genga, entrambi di Antonio, per convincersi come l'Incoronazione di Vienna sia dovuta a lui e non a Gentile".

63

64

67

68

Repertori

Indice del volume

Emma Micheletti

La chiave delle abbreviazioni poste nell'intestazione di ciascuna 'scheda' è data alla pag. 82.

Fonti Fotografiche

Illustrazioni a colori: Archivio Rizzoli, Milano; Costa, Milano; Frick Collection, New York; Metropolitan Museum, New York; National Gallery of Art, Washington; Nimatallah, Milano; Philbrook Art Center, Tulsa; Royal Collection (Copyright Reserved), Gran Bretagna; Steinkopf, Berlino; Yale University Art Gallery, New Haven. Illustrazioni in bianco e nero: Alpenland, Vienna; Archivio Rizzoli, Milano; Bildarchiv Preussischer Kulturbesitz, Berlino Ovest; Chiolini, Pavia; Fototeca Berenson Villa I Tatti, Firenze; Torriani, Fano.

Direttore responsabile: Gianfranco Malafarina

Registrazione presso il Tribunale di Milano, n. 84 del 28.2.1966.
Spedizione in abbonamento postale a tariffa ridotta editoriale:
autorizzazione n. 51804 del 30.7.1946 della Direzione PP.TT. di Milano

Editore stampatore: Rizzoli Editore s.p.a.
Milano, Via Civitavecchia 102 - Printed in Italy